GUERRE DES POLICES
ET
AFFAIRES CORSES

Cet ouvrage est publié à l'initiative de Philippe Lobjois.

© Nouveau Monde Éditions, 2009
24, rue des Grands-Augustins – 75006 Paris
ISBN : 978-2-84736-454-5
Dépôt légal : septembre 2009
N° d'impression : xxxxxxxxxx
Imprimé en Espagne par Novoprint

Justin Florus

GUERRE DES POLICES ET AFFAIRES CORSES

nouveau monde éditions

Avertissement de l'éditeur

Toute personne qui ne fait pas l'objet d'une condamnation définitive est présumée innocente. C'est particulièrement le cas non seulement de celles qui sont poursuivies devant la justice, mais aussi de celles qui sont mentionnées à l'occasion des diverses enquêtes policières dont l'auteur retrace les difficultés et les péripéties.

Introduction

« Il vaudrait mieux que ce livre ne sorte pas. Plus tard, peut-être. Mais pas maintenant. Il y a trop d'inconnues. Attends un peu que la poussière soit retombée. Dans un an ou deux, on y verra plus clair. » L'homme qui « conseille » ainsi le ou la journaliste est un avocat. Ils se connaissent bien, depuis très longtemps. Ils s'aiment bien. Le conseil est sans doute désintéressé. Mais il arrive surtout après beaucoup d'incidents étranges.

Dans le courant de l'année 2008, ce ou cette journaliste (on utilisera désormais le masculin) propose à Nouveau Monde éditions un projet de livre provisoirement intitulé *Affaires corses*. Le synopsis est prometteur : une banale affaire d'abus de biens sociaux dont on parle beaucoup en Corse, celle de la SMS (Société méditerranéenne de sécurité), se transforme en une procédure tentaculaire, qui met au jour des personnages étonnants, des pratiques douteuses, des règlements de comptes sanglants et même des affrontements impitoyables entre services de police. Un embrouillamini compris des seuls initiés, dont la presse nationale se fait parfois l'écho, mais dans des articles au format limité, qui ne permettent pas de débrouiller toutes les complexités et de donner de l'affaire une perspective historique, pourtant indispensable. Toutes choses que le projet d'ouvrage promet d'offrir, avec en prime des révélations fracassantes sur les contenus de certaines écoutes réalisées de 2006 à 2008 par la PJ d'Ajaccio. Le projet et la personnalité de l'auteur emportent l'adhésion. Un contrat est signé, avec promesse de livraison du texte au printemps : le livre paraîtra avant l'été 2009. L'auteur a requis une totale confidentialité sur son identité jusqu'à la parution, afin de pouvoir travailler sereinement. L'éditeur présente donc, quelques mois avant la publication, le projet d'ouvrage à son diffuseur chargé de le commercialiser « sous X » auprès des libraires, c'est-à-dire sans nommer l'auteur. La pratique est assez courante dans le domaine des documents, pour préserver le plus longtemps possible la confidentialité d'une enquête. Bien entendu, l'éditeur n'ignore pas que ce genre de livre au sujet « sensible » peut susciter des réactions juridiques. L'auteur, qui connaît bien par son métier les règles du droit de la diffamation, promet de solliciter lui-même les réactions de toutes les personnes mises en cause.

Au début de l'année 2009, comme il est d'usage, l'éditeur prend soin de s'enquérir par téléphone de l'avancée du travail et de rappeler à l'auteur le calendrier prévu pour la remise du texte, en principe à la mi-avril au plus tard. Tout semble en ordre : le texte est très avancé, même si de nouveaux événements interviennent chaque semaine sur l'île et qu'il faudra les intégrer au récit. Sans nouvelles dans les jours qui précèdent la date butoir, l'éditeur cherche à joindre l'auteur sans succès. Au bout de quelques jours, ce dernier rappelle enfin. Furieux. « Vous n'avez pas respecté nos accords ! », affirme-t-il. Le journaliste vient d'être convoqué par un service de police qui semble très au courant de ses activités. Et pour cause : on lui met sous le nez une « brève » de *L'Express*, intitulée « L'anonymat très tendance », annonçant entre autres la sortie prochaine de son livre :

« Si le moindre plumitif ne rêve que de célébrité, certains écrivains préfèrent encore l'anonymat : c'est le cas [...] d'un certain Crésus, qui signe *Confessions d'un banquier pourri* (Fayard), ou encore X, "grand spécialiste des dossiers corses", pour *Guerre des polices et mafia corse*, qui sort le 11 juin (Nouveau Monde)[1]. »

Cet entrefilet n'a rien d'étonnant : de même que les programmes des éditeurs sont présentés aux libraires trois à quatre mois avant parution, pour leur permettre de passer leurs commandes, les services de presse envoient aux rédactions des « avant-programmes » exposant brièvement les points forts des livres à paraître un ou deux mois plus tard. Ce sont des documents de travail qui n'ont pas vocation à être publiés mais qui permettent aux journalistes et aux « rédac-chefs » de sélectionner les sujets qu'ils veulent traiter. Toutefois, il arrive que l'on en tire un « confidentiel » pour révéler les « projets secrets » de telle ou telle personnalité (projets qui ne sont encore secrets que pour le grand public), ou que l'on y trouve matière à quelque papier décryptant une nouvelle mode éditoriale, ce qui est le cas ici. Le ou la journaliste de *L'Express* ne peut pas savoir que le nom de « X » sera dévoilé à parution. Ni que cet innocent écho va causer bien des ennuis à un confrère.

Mais les policiers qui interrogent « X » semblent mieux informés. Ils n'ont pas de doute, eux, sur son identité. Certes, c'est leur métier de tout savoir, mais comment sont-ils arrivés à cette conclusion si l'éditeur n'a pas « balancé » ? Au fil de l'interrogatoire, les policiers font état d'éléments connus seulement de l'auteur et de l'éditeur, et pour cause : ils ont été discutés quelques jours plus tôt par téléphone uniquement ! Ce qui signifie que leur conversation a été écoutée. Compte tenu du nombre de personnes contactées par l'auteur pour boucler son manuscrit, il n'est pas étonnant que tel ou tel service de police

---

1. *L'Express* du 16 avril 2009.

ait été au courant du projet. Mais, de toute évidence, la parution de l'entrefilet dans *L'Express* a précipité leur action. Rappelons qu'en France les écoutes téléphoniques sont désormais sévèrement réglementées, et motivées par des causes sérieuses. En principe, le temps des écoutes de journalistes est révolu, comme le confirmeront, la main sur le cœur, tous ceux qui sont susceptibles d'en «commander».

Un peu perturbé par ce premier coup de semonce, «X» se remet néanmoins au travail. Il échange avec quelques confrères et quelques-unes de ses sources policières, qui lui affirment qu'il fait partie d'un petit club très fermé de journalistes écoutés : les «affaires corses» qu'il se propose de traiter sont suivies de très près en haut lieu et «on» tient visiblement à ne rien ignorer de ce qui s'écrit sur la question. Pendant cette période, «X» affirme aussi subir des pressions «d'ordre privé» dont il refuse de parler. Néanmoins, son éditeur parvient à le convaincre d'achever son texte. Le temps presse : les mises en vente de nouveautés s'interrompent en France du début juillet à la «rentrée littéraire» qui a traditionnellement lieu après le week-end du 15 août.

Nouveau coup de théâtre : en mai, «X» est approché par une connaissance qui lui propose une rencontre avec un responsable policier qui a de nombreuses relations dans la presse et souhaite lui parler. «X» préfère attendre de l'avoir vu pour mettre un point final à son manuscrit. La rencontre prendra la forme d'un dîner. La majeure partie de la conversation est anodine, quoique parfois un peu électrique. Mais, à la fin du repas, l'échange prend un tour plus direct. «Ne vous méprenez pas, affirme en substance le policier, nous ne sommes pas là pour vous censurer – la presse est libre en France ! – mais nous sommes soucieux de votre sécurité.» Et le policier de lui exhiber une transcription d'écoute téléphonique. Il s'agit d'une conversation entre deux personnages corses, «connus des services de police», comme on dit, et réputés avoir la gâchette facile. Ils discutent d'un journaliste, dont «X» comprend vite qu'il s'agit de lui-même. Ils se disent que si ce gratte-papier n'est pas raisonnable, il faudra peut-être «s'en occuper».

Rien, absolument rien, ne garantit l'authenticité de cette transcription, d'autant que, bien évidemment, le policier ne peut en confier copie à «X». Mais qui, placé dans une situation semblable, peut jurer qu'il ne pâlirait pas? Il faudra plusieurs discussions entre l'éditeur et son auteur pour convenir que, même en Corse, on ne «flingue» pas comme cela des journalistes, qu'il existe déjà des ouvrages bien documentés sur les «parrains corses» dont les auteurs n'ont, semble-t-il, pas été inquiétés, et que d'ailleurs les malfrats de l'île sont trop occupés à se tuer entre eux. Bref, qu'il s'agit d'une manipulation.

Il est désormais trop tard pour publier l'ouvrage avant la trêve estivale, le projet est donc reporté à la rentrée: «X» promet de rendre son texte fin juillet. Mais, quelques jours avant, il annonce à son éditeur qu'il a définitivement changé d'avis. Bien que le texte soit achevé, il ne le publiera pas. Sa discussion avec l'ami avocat a été décisive. Que se sont-ils dit exactement? Est-ce le seul conseil reçu par «X» à ce moment-là? Y a-t-il eu d'autres pressions? Il est sans doute impossible à tout autre que «X» d'expliquer complètement les ressorts de sa décision. Il lui appartiendra de le faire ou pas. Mais une chose est sûre: ce retrait a été forcé.

Peut-on empêcher, en 2009 en France, la parution d'un ouvrage d'information parce qu'il déplaît à tel ou tel, capable d'abuser des pouvoirs dont il est dépositaire? Ce serait extrêmement préoccupant pour les libertés publiques. Il ne faut pas être naïf : des pressions, journalistes et éditeurs en subissent couramment, de toutes provenances et de toutes sortes. Il arrive même qu'ils s'autocensurent pour protéger une source de valeur ou un intérêt particulier. Compte tenu de la concurrence qui règne entre médias, ce genre de censure n'est jamais définitif. Mais journalistes et éditeurs sont en général bien armés pour résister aux menaces plus ou moins voilées, ou pour – comme au rugby – passer la balle à un copain mieux placé pour faire « sortir » telle ou telle histoire. Il faut le préciser, ici, la maison d'édition n'a elle-même subi aucune pression.

Face à cette situation inédite, elle a simplement commandé à l'auteur de ces lignes un autre texte sur le même sujet. Avec pour consigne de « voler en dessous des radars », tout en rapportant fidèlement leurs versions des faits recueillies par d'autres journalistes, et publiées ou non par la presse. En creusant cette affaire, nous nous sommes aperçus que « X » n'était pas seul à disposer d'importants documents sur l'aspect « guerre des polices » du dossier. Il a donc été possible d'en prendre connaissance. Certains confrères et consœurs en ont d'ailleurs cité quelques bribes. Mais personne n'en a restitué toute l'ampleur. Pourquoi ? Mystère…

À l'heure où ces lignes sont écrites[2], le dossier judiciaire de la SMS (Société méditerranéenne de sécurité) est un « monstre » de 40 000 pages. L'équivalent d'une centaine de volumes, ou encore du rapport de la commission américaine Warren sur l'assassinat de John Fitzgerald Kennedy. Ce qui fait beaucoup, *a*

---

2. Août 2009.

priori, pour une « petite » affaire purement financière. Certes, le contexte est particulier. Depuis 2006, la Corse connaît une vague d'assassinats impressionnante, touchant aussi bien des malfrats présumés que des hommes d'affaires et des politiques locaux. En 2008, « l'île de Beauté » a ainsi supplanté la Sicile au classement européen du plus fort taux de meurtres par habitant. Mais cela a-t-il un lien avec des affaires d'abus de biens sociaux et de détournement d'argent ? Peut-être, peut-être pas…

Une chose est sûre : rien n'est banal dans ce dossier qui regorge de paradoxes. La première société de sécurité privée de Corse, troisième employeur de l'île, en charge de la sécurité de lieux publics « sensibles », a été fondée et dirigée par des nationalistes, anciens de la lutte armée clandestine, sans rencontrer le moindre problème d'agrément des autorités. À peine créée, elle obtient six années de suite d'importants marchés publics auprès de la chambre de commerce et d'industrie de Corse du Sud. Elle l'emporte d'abord face à des « poids lourds » du secteur de la sécurité, puis sans plus rencontrer la moindre concurrence… Son gestionnaire de fait, objet d'une enquête de la PJ d'Ajaccio, bénéficie pendant tout ce temps de conseils quotidiens et avisés de la part de membres des Renseignements généraux. Alors que sa société est au bord de la faillite, il déniche de miraculeux investisseurs proches du pouvoir politique et économique qui ne semblent pas le moins du monde effrayés par son pedigree. Enfin, quand les choses se gâtent pour lui, ses amis menacent de révéler des rencontres et des services embarrassants « en haut lieu ». Sans compter que du côté policier, on observe de très étranges pratiques, bien peu confraternelles. On le comprend assez vite, le fil de l'affaire « SMS » conduit à bien d'autres : une vraie pelote qu'il faut essayer de démêler avec délicatesse…

I

La fin d'une époque

Le dernier vol Paris-Ajaccio de 21 h 15 le vendredi est celui des « notables », celui des élus et hommes d'affaires qui rentrent au pays après une semaine bien remplie en métropole. Le vendredi 10 mars 2006, Robert Feliciaggi occupe comme à son habitude un siège du premier rang. C'est pourtant en dernière minute qu'il s'est inscrit sur ce vol. L'homme d'affaires et président du groupe divers droite à l'assemblée de Corse lit, avec un plaisir évident, *La Tragédie du président* de Franz-Olivier Giesbert, un récit aux anecdotes cruelles pour Jacques Chirac.

À l'arrivée du vol à l'aéroport ajaccien de Campo dell'Oro, Feliciaggi passe sans être arrêté devant les équipes de la SMS (Société méditerranéenne de sécurité), une PME corse qui assure depuis peu la surveillance pour le compte de la chambre de commerce locale. Les caméras n'enregistrent rien d'anormal lorsqu'il se dirige vers la sortie : il ne semble pas suivi. Arrivé au parking, l'homme retrouve sa BMW noire stationnée dans un coin reculé. Au moment d'ouvrir le coffre, un homme armé d'un 38 spécial s'approche en silence et lui tire plusieurs balles dans la tête et la nuque[1]. Personne n'a rien entendu en raison du vent très puissant. Le tueur est récupéré par un 4X4 qui démarre aussitôt. On ne retrouvera pas de douilles au sol : un travail de professionnel, particulièrement bien informé en temps réel sur les déplacements de sa victime.

---

1. *Le Monde*, 12 et 16 mars 2006.

La nouvelle fait le tour de l'île. Feliciaggi ? Tout le monde connaît.

L'empereur des jeux

« J'ai des amis corses, et alors ? Ce n'est pas un délit », répondait Charles Pasqua au journal *Corse-Matin* en 2001. Cette proximité revendiquée s'appliquait particulièrement à Robert Feliciaggi et sa famille. Nés de parents fonctionnaires ayant vécu trente ans au Congo, les frères Feliciaggi incarnent l'esprit d'entreprise corse en Afrique. L'aîné, Charlie, fait fortune dans l'hôtellerie, les pêcheries et les transports. Robert, né en 1942 en Afrique du Sud, a fréquenté tout jeune le futur président du Congo, Denis Sassou N'Guesso, ce qui ne lui sera pas inutile. À la fin des années 1970, Charlie et Robert créent le Sea Club, premier casino du Congo. Ils gèrent également un hôtel à Pointe-Noire, un autre à Brazzaville[2]. En 1979, un coup d'État remplace le président congolais Fulbert Youlou par Denis Sassou N'Guesso. Sous l'œil bienveillant du groupe Elf, représenté par son « Monsieur Afrique », l'ami André Tarallo, les Feliciaggi vont alors enchaîner les bonnes fortunes et les contrats de transport en gros.

Après avoir travaillé en équipe dans les entreprises familiales, Charlie et Robert vont se répartir les marchés. Charlie sera basé en Angola, où il dirige officiellement des affaires de pêche et de transport pétrolier. Robert, lui, va devenir le grand patron des

---

2. Cf. Stephen Smith et Antoine Glaser, *Ces messieurs Afrique*, t. 2, Calmann-Lévy, 1997.

jeux en Afrique : casinos au Gabon et au Congo, Pari mutuel urbain au Cameroun, machines à sous à Abidjan, etc. À titre de simple exemple, pour la seule année 1995, le PMU camerounais dégage 100 millions de francs de bénéfices pour 13 millions d'habitants, révèlent Stephen Smith et Antoine Glaser[3]. La plus grande réussite de Robert : implanter et développer en Afrique de l'Ouest, où l'on n'a jamais vu un cheval, un véritable « PMU africain » permettant de parier sur les courses françaises ! Pour ce faire, Feliciaggi s'est associé avec un autre Corse issu d'une famille alliée des Feliciaggi, Michel Tomi. Une alliance tellement étroite que l'on peine à faire la part de leurs apports respectifs. Tomi, ex-croupier renvoyé de Monaco en 1968, a dirigé un cercle de jeu parisien avant de devenir chef de partie au casino Ruhl de Nice. Il sera poursuivi pour détournement de fonds en 1988 en tant que « gérant de fait » du casino de Bandol, dont l'actionnaire majoritaire est son frère Jean, puis condamné à trois ans de prison dont deux avec sursis et 8 millions d'euros d'amende[4]. C'est à sa sortie de prison en 1990 qu'il s'associe avec Feliciaggi. Plusieurs États africains leur accordent l'autorisation exclusive d'organiser des paris sur les courses. Sans qu'il soit besoin de reverser un centime au PMU français. Leur fortune est faite.

Fidèles à la tradition corse, Tomi et Feliciaggi n'oublient pas de « placer » leurs proches dans les affaires qu'ils contrôlent. Cette situation fait de Robert un rouage incontournable de la « Françafrique », comme il s'en targue dans une interview à

---

3. *Op. cit.*
4. Cf. Jacques Follerou et Vincent Nouzille, *Les Parrains corses*, Fayard, 2004.

Corsica en 2002 : « J'ai reçu chez moi, au Congo, tous les ministres de la coopération, beaucoup de militaires, j'ai eu l'honneur d'accueillir François Mitterrand [...] Lorsque nous étions utiles, la France nous honorait de sa présence. » Un rôle bien réel, qui agace d'ailleurs nombre de services, furieux d'être ainsi court-circuités dans la relation avec certains chefs d'État, en particulier Omar Bongo et Denis Sassou N'Guesso. Le directeur de la DGSE sous Michel Rocard, Claude Silberzahn, charge ainsi ses services d'enquêter sur Feliciaggi, ainsi que sur les opérations conduites en Afrique par le conseil général des Hauts-de-Seine présidé par Charles Pasqua.

Mais qu'importent les petites mesquineries franco-françaises, la consécration économique de Feliciaggi se double d'un « retour au pays » politique, et par la grande porte puisqu'on vient le solliciter pour devenir maire du village de Pila-Canale, une fonction jusqu'ici dévolue à un membre du clan Colonna, qui règne sur la Corse du Sud, mais qui fut occupée dans les années 1950 par un parent de Feliciaggi. C'est « Jean-Jé » Colonna, un des derniers anciens de la « French Connection », souvent présenté par la presse comme le « dernier grand parrain » de l'île, qui offre le fauteuil à Robert en 1994. Ce qui fait de lui un obligé de « Jean-Jé ». La commune n'aura d'ailleurs pas à s'en plaindre : l'homme d'affaires n'hésite pas s'il le faut à mettre la main à la poche pour restaurer l'église ou aider un administré. Et il ajoute à ses mandats celui de conseiller régional en 1998. Il est désormais comme un poisson dans l'eau du jeu politique local. Ariane Chemin le décrit : « Toujours prêt à démêler les embrouilles et à rapprocher les ennemis dans l'hémicycle. Quand les politiques se déchirent sur le processus de Matignon, il court de bureau en bureau, de table en table, et devient le ciment des "22" qui votent pour la réforme institutionnelle de Lionel Jospin, en 2000[5].» Un «homme à services», comme on dit en Corse.

La fortune des Feliciaggi-Tomi ne s'arrête cependant pas de croître et ne va pas se cantonner au continent africain. Devenu actionnaire minoritaire en 1991 du petit casino d'Annemasse, stratégiquement implanté près de la frontière suisse[6], Robert se voit refuser à plusieurs reprises par le ministère de l'Intérieur d'y implanter des jeux. Des fonctionnaires un peu trop vétilleux émettent des doutes sur l'origine de ses fonds et la pureté de ses intentions. Heureusement pour lui, la cohabitation est de retour et son ministre de l'Intérieur Charles Pasqua rend, le 14 mars 1994, une décision contraire à l'avis de ses services. Décision qui dope le potentiel de l'établissement, dont Robert acquiert alors le contrôle… avant de revendre le tout avec une belle plus-value pour 100 millions de francs ! Après avoir autorisé quelques autres opérations de ce genre, Charles Pasqua va quitter le ministère en 1995, puisque Jacques Chirac l'a emporté au premier tour de la présidentielle sur le favori Édouard Balladur. Il n'a cependant pas eu le temps d'autoriser l'implantation de machines à sous au casino d'Annemasse. Mais, fort heureusement pour le groupe repreneur, la continuité républicaine n'est pas un vain mot. Daniel Léandri, le conseiller et homme de confiance de Charles Pasqua en charge à l'Intérieur des jeux et des affaires corses et africaines (un portefeuille dont la cohérence ne saute aux yeux que des initiés), va

---

5. «Le dernier nabab corse», *Le Monde* du 16 mars 2006.
6. Les casinos sont alors interdits en Suisse, ce qui désole les émirs et autres nababs qui y ont une résidence secondaire. Profiter de la qualité de l'air alpin n'exclut pas de se détendre à la nuit tombée…

rester en place sous Jean-Louis Debré. Les machines à sous finiront par être autorisées.

L'affaire du casino d'Annemasse vaut néanmoins à Tomi, Feliciaggi et Pasqua une mise en examen en 2002. En effet, Tomi et Feliciaggi ont figuré parmi les piliers du mouvement politique de Charles Pasqua, le RPF, lancé à la même époque. Et le juge Courroye s'intéresse de près au financement de sa campagne européenne en 1999 : une somme de 7,5 millions de francs a en effet été versée par une certaine Marthe Mondolini, patronne du PMU gabonais, qui n'est autre que la fille de Michel Tomi ! Cette affaire vaudra à Charles Pasqua une condamnation par le tribunal correctionnel de Paris à dix-huit mois de prison avec sursis, le 12 mars 2008 pour faux, financement illégal de campagne électorale et abus de confiance. L'ancien ministre a fait appel. Feliciaggi s'est brouillé avec Tomi après leur mise en examen, au point que le partage de leur « empire » africain a été difficile. Mais il n'a pas eu à comparaître devant les juges : il est mort en notable respecté, salué par une foule nombreuse, recueillie dans l'église de Pila-Canale dont il avait financé la restauration.

Le « dernier parrain »

Parmi les amis venus se recueillir le 13 mars 2006 devant la dépouille de Robert Feliciaggi, « Jean-Jé » Colonna affiche la discrétion d'un paisible retraité, inversement proportionnelle au statut qu'on lui reconnaît. Non loin de lui se tient son ami Roland Francisci, président UMP du conseil général de Corse du Sud, dont la famille a fait fortune dans les cercles de jeu de la capitale. Ces deux notables de la vallée du Taravo ne le savent pas, mais ils ne vont pas tarder à rejoindre leur ami Feliciaggi dans l'au-delà. Roland Francisci sera emporté en août de la même année par un cancer. Quant à « Jean-Jé », il disparaît le 1er novembre suivant dans un accident de voiture, peut-être causé par une crise cardiaque. Une énigme pour beaucoup, qui restent sceptiques devant cette annonce, mais après tout les « parrains » aussi peuvent mourir par accident…

Sous ses abords modestes, « Jean-Jé » était considéré par beaucoup et même par les autorités de la République comme LE parrain de la Corse. Un rapport d'enquête parlementaire citant un ancien responsable administratif de l'île évoque ainsi : « Jean-Jérôme Colonna, que l'on peut considérer comme le seul parrain corse. Ayant lui aussi assumé des activités mafieuses sur le continent, il s'est ensuite enfui en Argentine après avoir été condamné par les tribunaux à vingt ans de réclusion criminelle. Sa peine devenue forclose, il est rentré s'installer paisiblement au pays où il continue à animer un certain nombre d'activités tournant autour de l'hôtellerie, des jeux et des boîtes de nuit dans le secteur d'Ajaccio[7]. »

Les « parrains corses », dont la tumultueuse histoire a été écrite en détail par Jacques Follerou et Vincent Nouzille[8], ont vu défiler plusieurs générations : Carbone et Spirito, les pionniers des années 1930 et 1940, cèdent la place aux frères Guérini, engagés dans la Résistance auprès de Gaston Deferre puis dans la lutte contre les syndicats communistes à la Libération. Ils vont régner sur Marseille et mettre en place les

---

7. Rapport d'enquête parlementaire : « Corse, l'indispensable sursaut », septembre 1998, sous la direction de Jean Glavany et Christian Paul.
8. *Les parrains corses, op. cit.,* référence incontournable sur le sujet.

filières de la « French Connection », qu'il faudrait plutôt rebaptiser « Corsican Connection » : elles vont de la Turquie et de l'Asie jusqu'aux villes américaines, en passant par les laboratoires du sud de la France. Antoine Guérini est assassiné, et son frère Barthélémy arrêté, en 1967. Après un interrègne marqué par la lutte franco-américaine contre les trafics de drogue et les règlements de comptes internes au milieu, se mettent en place de nouveaux pouvoirs qui exercent dans l'île : le gang de la « Brise de mer » règne sur le nord, et « Jean-Jé » sur le sud. Les premiers s'imposent comme une nouvelle génération de gangsters (voir le chapitre suivant), tandis que Jean-Jé fait le lien avec une génération plus ancienne, celle des caïds et des vendettas.

Neveu de Jean Colonna, ancien trafiquant de cigarettes devenu maire de Pila-Canale, Jean-Jé commence à se faire remarquer en vengeant la mort de son père Jacques Colonna, marchand d'huile à Ajaccio et victime collatérale d'un règlement de comptes en 1955. Comme il le reconnaîtra dans une interview à *Corsica* en 2002, à l'époque il a poursuivi et exécuté un à un les assassins de son père, dans la plus pure tradition corse. Il intègre ensuite les filières de la « French Connection » qui convoient l'héroïne raffinée en France jusqu'aux États-Unis, en passant par l'Amérique latine où Jean-Jé développe ses premiers réseaux. En 1975, il est arrêté sur dénonciation de trafiquants tombés entre les mains de la justice américaine. Écroué à la prison des Baumettes à Marseille, il s'évade par un subterfuge qui va marquer sa légende : se faisant volontairement blesser par un compagnon de cellule, il est transféré à l'hôpital dont il s'éclipse nuitamment en pyjama. C'est le début d'une cavale qui va durer dix ans, entre l'Amérique latine, les États-Unis et même la Corse où il effectue des séjours en toute impunité. Au Brésil, rejoint par des Corses de sa région natale, il développe diverses affaires avec l'aide du parrain Paul Mondolini, un ami de son oncle Jean, qui veille aussi sur ses intérêts en France.

Jugé en France en même temps que ses comparses, Jean-Jé est condamné par défaut à dix-sept ans de prison, mais en appel la cour « oublie » de le rejuger dans les délais légaux. La condamnation est prescrite et le fugitif peut revenir tranquillement en 1985. À partir de là, il ne sera plus pris en défaut par la justice ; son casier judiciaire reste impeccablement vierge. Jean-Jé prend la suite de son oncle Jean et entame une carrière de chef de clan sans pour autant apparaître en personne dans les affaires que gèrent ses proches. Il devient selon Follerou et Nouzille « l'une des pièces maîtresses de la vie politique et économique de la Corse du Sud ».

Il est extraordinairement complexe de reconstituer les « affaires » de Jean-Jé. Les soupçons qui pèsent sur lui et ses proches ne sont pas simples à étayer. Édouard Cuttoli, son ami d'enfance, délégué départemental RPR et président de la chambre de commerce et d'industrie de Corse du Sud, mais aussi dirigeant du casino d'Ajaccio, est ainsi soupçonné, après une alerte de Tracfin, l'entité de Bercy chargée de détecter les délits financiers, de blanchiment dans une enquête ouverte en août 2000 par le procureur d'Ajaccio. Sont en cause des retraits d'espèces pour plus de 11 millions de francs entre 1994 et 1997, dont la police pense qu'elles ont été versées à un « associé occulte » qui pourrait bien être Jean-Jé. Il faut dire que le casino, qui appartient à la famille Cuttoli depuis trois générations, est devenu une affaire d'envergure après l'autorisation en 1993 par le ministère de l'Intérieur… d'y exploiter une quarantaine de machines à sous. Les investigations tourneront pourtant court, faute de preuves suffisantes. Forte de ses nouvelles recettes, la famille Cuttoli va reprendre un autre casino en déshérence, à Saint-Nectaire, pour lequel le ministre de l'Intérieur Charles Pasqua donne aussi son accord à une réouverture, contre l'avis de ses services. De même qu'à Grasse, un autre projet de casino porté cette fois par le fils de Robert Feliciaggi, connaît un sort similaire. Après quelques mois d'exploitation, l'établissement sera cédé au groupe Partouche.

Follerou et Nouzille décrivent ainsi le «système Jean-Jé» :

«Le clan Colonna ou le système Jean-Jé semble ainsi étendre son influence de manière très discrète, grâce à un subtil assemblage de cercles de fidélité. Jean-Jé s'appuie sur ses amis. Un ami est une personne sur laquelle on sait pouvoir compter en cas de besoin. Fondé sur de vieux réflexes de solidarité, ce lien crée des devoirs et des dépendances. Lorsque Jean-Jé déclare que le directeur de l'*Eden Roc*, hôtel de luxe situé sur la route des Sanguinaires à Ajaccio, "est un ami, du même village que moi", cela signifie qu'il appartient à son cercle. C'est ainsi. Dans cet univers, le lien formel est superflu. Jean-Jé n'a nul besoin de figurer dans les statuts de la société qui gère cet hôtel pour avoir une influence sur lui. Il peut donc à juste titre déclarer qu'il n'a aucun lien avec l'établissement. Le propriétaire de l'*Eden Roc*, selon le procureur de Bastia, n'avait pas de revenus personnels suffisants pour acquérir cet hôtel de luxe sans un soutien bancaire tout à fait inédit. La justice a ouvert une enquête pour tenter de découvrir l'identité d'un éventuel propriétaire masqué qui aurait pu être Jean-Jé. Les investigations fiscales et policières n'ont pu démontrer ni l'existence d'infractions ni sa présence dissimulée[9].»

---

9. *Les Parrains corses, op. cit.*

La fonction de Jean-Jé ne se limite pas à tirer les ficelles d'affaires diverses en coulisses. Jean-Jé fait aussi figure de «juge de paix» dans divers types de litiges claniques et commerciaux. Il reçoit les doléances depuis un bureau de l'hôtel *Miramar* à Propriano, hôtel racheté par sa femme en 1989. Une acquisition rendue possible grâce à des prêts de la Caisse de développement de la Corse (Cadec), une société de développement régional créée dans le cadre des lois de décentralisation. Ne parvenant pas à recouvrer ses créances, la Cadec remet en vente l'hôtel en 1996. Une partie des parts est finalement rachetée par… Robert Feliciaggi, «l'homme à services» et maire de Pila-Canale.

Les multiples liens entre divers personnages éminents de l'île, dont Jean-Jé Colonna et Robert Feliciaggi, ne relèvent pas d'une organisation structurée. Chacun œuvre dans sa propre sphère sans gêner l'autre, mais les croisements sont nombreux et l'entraide de rigueur. Toutefois, à partir de 2001, le système commence à se lézarder : on l'a vu, Charles Pasqua, Michel Tomi et Robert Feliciaggi sont mis en examen pour financement irrégulier de campagne électorale ; Pasqua le sera à nouveau dans l'affaire des ventes d'armes en Angola. Les enquêteurs trouvent enfin une (petite) faille dans le «dispositif Jean-Jé» : poursuivi en 2002 pour emploi fictif dans une supérette gérée par sa femme à Olmeto, il préfère reprendre la fuite et impute ses ennuis à une cabale dirigée contre les amis présumés de Charles Pasqua. Cette avalanche de mauvaises nouvelles excite les convoitises sur son fief. Le nombre de règlements de comptes à Ajaccio grimpe en flèche dans la cité ajaccienne. Condamné pour abus de biens sociaux (condamnation confirmée en appel, suivie d'un pourvoi en cassation), Jean-Jé refait surface deux ans plus tard, conscient qu'il faut resserrer les boulons. Il n'en aura pas le temps.

La disparition quasi simultanée de Robert Feliciaggi et Jean-Jé Colonna marque la fin d'une époque et d'un système. Même les policiers semblent regretter Jean-Jé : « Le Sud désormais est privé de son épine dorsale. Il jouait un peu les juges de paix », affirme l'un au *Monde*. « Le temps que les forces se comptent, on peut parier sur une guerre de succession », renchérit un autre[10].

Ondes de choc

Si guerre il doit y avoir, qui va-t-elle opposer ? Et d'abord, qui a tué Robert Feliciaggi ? Quelques mois après sa mort, il faut reconnaître que l'enquête de police ne progresse pas vite. On ne décèle aucune trace du meurtrier sur les enregistrements des caméras de surveillance du parking. Il semble qu'il aurait utilisé des balles non disponibles dans le commerce, sans doute fabriquées artisanalement. Des balles du même type auraient été utilisées en 2005 dans l'assassinat d'un hôtelier, Paul Renucci. Cet ami de Jean-Jé et de Feliciaggi était propriétaire de l'auberge du col Saint-Georges, à proximité de Pila-Canale, établissement où se croisaient élus, grands flics et figures du milieu. Les enquêteurs recherchent aussi la trace du coup de téléphone qui aurait confirmé au tueur l'arrivée de la victime par le dernier vol. Ils tentent enfin de faire parler l'historique des numéros entrants et sortants sur son téléphone. Mais la pêche est maigre.

En novembre intervient un rebondissement : dans son édition du 20 novembre, *La Gazette du Maroc* assure que l'assassinat

---

10. « La fin des barons corses », *op. cit.*

de l'élu pourrait avoir un lien avec le curieux suicide d'Azzedine Behhar, ancien chauffeur de la famille Feliciaggi. Selon le journal marocain, «Azzedine Behhar a été le chauffeur personnel du frère de Robert Feliciaggi, Charles Feliciaggi et, de temps à autre, il a travaillé pour Robert Feliciaggi, député UMP en Corse. D'ailleurs, exactement sept jours avant son assassinat, le Marocain avait accompagné Robert Feliciaggi au TGI (tribunal de grande instance) de Paris pour sa dernière comparution devant la justice pour une affaire louche. Ce jour-là, le chauffeur marocain a pu avoir accès à des documents confidentiels de haute importance qui étaient déposés dans le coffre de la Mercedes de Charles Feliciaggi, frère de Robert. Sans oublier que pendant une longue période, lors de la mise en examen de Robert Feliciaggi, Azzedine Behhar et sa femme ont gardé des dossiers compromettants sur les Feliciaggi[11]». Toujours selon le journal marocain, M. Behhar se savait menacé par «son patron et le comptable» d'une des sociétés de M. Feliciaggi.

Il est certain que la mort du chauffeur ne ressemble pas à un suicide, le corps ayant été retrouvé le 22 décembre 2004 au bas d'un immeuble du 8e arrondissement de Paris, mais assez loin de son point de chute théorique, qui aurait dû être à la verticale de sa fenêtre. Cette excroissance de l'affaire a l'intérêt de circonscrire la mort de Robert aux «affaires africaines» des Feliciaggi, mais elle n'est guère partagée en Corse, où l'hypothèse d'une guerre des gangs tient la corde.

Un bon connaisseur des affaires corses remarque ainsi: «Ni Renucci ni Feliciaggi n'étaient eux-mêmes des bandits. Mais ils étaient des personnalités liées à ce milieu. En tuant le premier,

---

11. Article cité par *Corsica*, 12 janvier 2006.

on adressait un message symbolique. Avec Feliciaggi, on assèche la manne financière[12]. » En effet, si Feliciaggi était bien, comme on le murmure, le banquier de la bande, c'est tout le système Colonna qui s'en trouve déstabilisé. Or, remarque le même observateur, cette mort intervient moins d'une semaine après l'arrestation de l'insaisissable Richard Casanova, considéré comme un des « parrains » du gang de la Brise de mer, qui règne sur le nord de l'île, mais « grignote des parts de marché du crime sur Ajaccio ». Difficile d'y voir une simple coïncidence...

Jean-Jé Colonna avait jusque tout récemment deux principaux lieutenants : Ange-Marie Michelosi et Jean-Luc Codaccioni. Michelosi est le tenancier du *Petit Bar*, situé sur le cours Napoléon à Ajaccio, et un éleveur de chevaux, sa grande passion. Il est devenu le mentor d'une bande de jeunes voyous à la gâchette facile qui se réunit dans son établissement et pratique le trafic de drogue, comme nombre de nouvelles bandes qui fleurissent dans l'île au début des années 2000. Turbulente, cette bande du *Petit Bar* ne respecte pas toujours les règles des anciens, allant jusqu'à tenter de racketter des proches de Jean-Jé. Mais elle sera peut-être bien utile au clan dans les temps difficiles qui s'annoncent. Car l'autre lieutenant, Jean-Luc Codaccioni, un gros calibre originaire de la Corse du Sud, a commis l'outrage suprême en changeant de camp : il a fait allégeance à Richard Casanova en 2005. Coïncidence, un motard a tenté de l'abattre à l'été 2005, mais son pistolet s'est enrayé. Ange-Marie Michelosi devient donc après la mort de Jean-Jé « l'homme-clé » du dispositif Colonna, même si ce n'est pas lui

---

12. Marc Pivois, « Robert Feliciaggi ou Bob l'Africain, lequel a été tué ? », *Libération*, 13 mars 2006.

qui en prend la tête : officiellement, c'est Jean-Claude Colonna qui reprend le fauteuil de Jean-Jé.

Compte tenu de ce contexte tendu entre les deux principaux pouvoirs occultes de l'île, c'est donc vers le gang de la Brise de mer que se tournent les regards : se pourrait-il que la Brise de mer ait lancé une OPA sur les affaires Colonna ?

II

Avis de gros temps sur la Brise de mer

Implanté au nord de la Corse depuis le début des années 1980, le gang de la Brise de mer détient sans doute le record de France des braquages, en quantité comme en montants détournés. Moins médiatisée que le fameux « gang des postiches », la Brise de mer connaît une longévité et une impunité qui forcent le respect.

Essor et longévité d'un gang redoutable

La Brise de mer tire son nom d'un établissement du vieux port de Bastia. Une bande d'amis, fils de bonne famille, prend l'habitude de s'y réunir dans les années 1970. Est-ce parce que les structures sociales sont un peu trop figées en Corse ? Toujours est-il qu'ils décident de tâter du grand banditisme. Ils éliminent d'entrée le clan Memmi qui contrôlait leur territoire d'élection (une vingtaine de victimes), et s'imposent à coups d'attaques à main armée de succursales bancaires et de fourgons blindés. Les caïds à l'ancienne limitaient ce genre d'activités au continent, faisant de la Corse un sanctuaire préservé, à l'exception des traditionnelles vendettas. Les jeunes ambitieux jouent avec leurs propres règles et imposent leur terreur : entre 1979 et 1981, les vols à main armée sont multipliés par dix en Corse. Le noyau dur de la bande, tel que l'identifient les policiers de l'OCRB

(Office central de répression du banditisme) en 1983, est constitué par Georges Seatelli, Francis et Pierre-Marie Santucci, Maurice Costa, Angelo et Paul Guazzelli, Robert Moracchini, Francis Mariani et enfin deux plus jeunes : Richard Casanova et Dominique Rutily. Jacques Follerou et Vincent Nouzille décrivent ainsi les règles du gang :

« Ils se doivent entre eux une solidarité quasi absolue. S'imposant en cas de guerre contre les adversaires, cette loi vaut également dans leurs affaires respectives. La défense des intérêts de l'un ne peut mettre en péril ou gêner ceux des autres. C'est l'une des grandes particularités de ce groupe par rapport aux anciens voyous corses. Ses membres s'administrent par le biais d'une minicoupole composée de certaines fratries, mais surtout des individus sans attaches familiales, admis pour leurs compétences. Les décisions majeures ayant un impact direct sur l'avenir de toute l'équipe sont prises de façon collégiale.

Cette solidarité ne vaut que pour le noyau dur. Elle n'est pas garantie à l'entourage, qui se structure, autour de lui, en cercles concentriques[1]. »

Le groupe observe deux précautions fondamentales, jamais remises en question : maîtrise totale des coups (pas de « coproduction » avec d'autres), et intervention des membres du groupe par binômes. Chaque membre majeur a son territoire sur lequel il peut développer un parc de machines à sous clandestines. Dans les années 1980, il se constitue à coups de braquages une fortune considérable qui sera ensuite réinvestie dans des activités légales, au cœur du tissu économique de l'île. Il sera alors

---

1. *Les Parrains corses, op. cit.* De nombreux éléments factuels de ce chapitre lui sont empruntés.

trop tard pour les faire tomber : au début des années 1990, la Brise s'est « notabilisée ».

De 1981 à 1984, l'OCRB attribue à la Brise pas moins de 62 braquages de banques, moitié sur le continent, moitié dans l'île, avec un seul raté, à Neuilly en octobre 1984. Puis la police lui impute 35 attaques de banques ou de transports de fonds de 1984 à 1988. Le gang achève de s'affirmer sur la scène locale en décimant le gang bastiais de Jo Paoli en 1986, et s'implante durablement en prenant le contrôle de nombreux établissements : discothèques, hôtels, résidences de luxe, supermarchés, etc. Des signes de réussite incontestable : selon les autorités judiciaires, le gang procède à partir de 1986 à une centaine d'acquisitions dans l'île, *via* des prête-noms, pour un montant total supérieur à 30 millions de francs, sachant que le plus gros des investissements se fait sans doute à l'extérieur de l'île, en France et à l'étranger ! Tous les moyens sont bons pour obtenir la cession d'affaires qui les intéressent : pressions, mises à l'amende, voire explosions attribuées aux nationalistes. Le groupe s'adjuge même par la force une quasi-exclusivité dans la distribution de café dans l'île, sous la marque Kimbo.

Une note de la PJ au ministre de l'Intérieur, en date du 28 juillet 1998, démonte le système « Brise de mer » désormais bien en place dans l'île :

« Le grand banditisme corse a profité de la dégradation de la situation politique en se superposant au FLNC dans les actions de racket au détriment des commerçants continentaux, tout en s'infiltrant par la menace et le chantage dans telle ou telle affaire commerciale, les lieux de plaisir, mais aussi des affaires beaucoup plus traditionnelles. [...] Après avoir régné sur les nuits corses, le grand banditisme a investi tous les secteurs, profitant de la fragilité du tissu économique corse. Lorsqu'un commerce bat de l'aile, on fait appel à ces mystérieux actionnaires qui se substituent aux banques en prêtant sans difficulté. Ils achètent la Haute-Corse, voulant passer pour des notables, mettant en place des circuits de blanchiment avec la complicité de banquiers et de juges consulaires. Devenus riches, ils ne se bornent pas à semer la terreur. Ils jouent les généreux donateurs et soutiennent tel ou tel candidat, à charge de revanche (colleurs d'affiches, service de sécurité pour les bureaux de vote, collecte de voix, cartes d'électeurs)[2]… »

Au fur et à mesure qu'elle s'embourgeoise, la Brise devient de plus en plus sélective sur les «coups» qu'elle élabore, et devient surtout plus ambitieuse. Deux affaires non résolues illustrent le savoir-faire et l'audace de la bande. En 1991, près de 6 millions de francs appartenant à la Banque de France et convoyés par avion de Bastia à Orly sont dérobés et remplacés par de vieux papiers. Ni vu, ni connu. Il faudra plusieurs jours aux enquêteurs pour comprendre que le vol a été commis par un individu dissimulé dans une malle placée en soute avec les bagages, pendant le vol lui-même : trop tard évidemment pour récupérer les bagages de passagers complices, dans lesquels ont dû être placées les liasses de billets… Encore plus fort, le 25 mars 1990, l'Union des banques suisses à Genève est dévalisée par un commando apparemment très bien informé sur les dispositifs de sécurité et disposant des codes pour ouvrir les armoires fortes. Bilan : 125 millions de francs : «le casse du siècle». On finira par découvrir des complicités au sein du personnel. Selon les enquê-

---

2. Note citée par Frédéric Ploquin, *Parrains et caïds. La France du grand banditisme dans l'œil de la PJ*, Fayard, 2005.

teurs, qui localisent certains seconds couteaux ayant imprudemment dépensé des billets issus du casse, il semble que la « cheville ouvrière » de l'affaire soit Richard Casanova, dit « le menteur », qui fait le lien entre l'équipe commanditaire du casse et l'équipe exécutante. Faute de preuve, les quelques accusés tombés entre les mains de la justice seront tous relaxés en 2004. Ce genre d'affaires spectaculaires fait beaucoup pour la réputation et la suprématie de la Brise de mer en Corse du Nord, mais aussi sur le continent où elle développe ses propres affaires. Forte de relais à Paris, d'appuis financiers et logistiques sur la Côte d'Azur, notamment à Nice et à Cannes, la Brise continue d'avancer ses pions en toute impunité. La première grosse perte dans ses rangs ne devra rien aux efforts de la police : en juillet 1992, Francis Santucci, considéré comme le pilier du gang, décède… d'un cancer.

Contraint d'entrer en cavale dès 1990 à la suite du casse de l'UBS, et jusqu'en 2004, Richard Casanova dispose de fonds qu'il peut investir à l'étranger, et notamment en Afrique. Selon certains observateurs, il commence à y faire ses propres affaires avec Michel Tomi, qui comme on s'en souvient s'est séparé de Robert Feliciaggi. Dans les relevés d'écoutes policières, qui permettent d'apprendre que les deux hommes suivent des affaires au Maroc et au Gabon, Casanova appelle Tomi « tonton » tandis que ce dernier le présente comme son neveu[3]. À l'évidence, Casanova est l'un des plus doués de la bande, mais aussi un des plus flamboyants, et l'on se demande s'il acceptera encore longtemps de « jouer collectif ». Pendant sa cavale sous une fausse

---

3. Jean-Michel Décugis, Christophe Labbé, Armel Méhani et Olivia Recasens : « Enquête sur la guerre qui ravage la Corse », *Le Point*, 28 mai 2009.

identité, il est tout sauf discret. On le signale au *Fouquet's* de Paris (la police le soupçonnera même d'en avoir pris le contrôle), dans les cercles de jeu de la capitale, où il investit en sous-main, à l'île Maurice, où il établit des affaires, mais aussi en Corse, en Afrique, etc.

Son complice et binôme de la Brise, Dominique Rutily, est cependant abattu en mars 1996 alors qu'il est en pleine discussion avec Roland Courbis, figure du football français (ils envisageaient de reprendre ensemble le club de football niçois). C'est la première mort violente d'un membre du noyau dur, causée, semble-t-il, par une vendetta personnelle et non par une puissance adverse. Autre coup dur, cette fois-ci judiciaire : en juillet 2000, une réunion de l'état-major de la Brise à Sartène est interrompue par les gendarmes. Enquêtant dans une affaire de racket, ils trouvent sur les lieux des voitures volées, de l'argent, une arme, une cagoule et des talkies-walkies. Cinq personnes sont placées en garde à vue et mises en examen pour racket, dont trois membres du gang, Francis Mariani, Pierre-Marie Santucci et Maurice Costa, tandis que d'autres arrivent à s'enfuir, dont Richard Casanova. Il semble que le groupe préparait un assassinat, peut-être pour venger Dominique Rutily.

Incarcérés à la prison de Borgo, près de Bastia, les trois membres de la Brise vont s'en évader le 31 mai 2001 de la manière la plus originale qui soit : par la grande porte et sans effusion de sang ni violence. Tout cela grâce à un fax ! Un faux ordre de la libération signé du juge instruisant l'affaire de Sartène : l'administration, pour qui tout semble en règle, ne prend pas la peine de vérifier et relâche les prisonniers dans les deux heures. La beauté du stratagème est que, techniquement, ces derniers ne sont pas des évadés : ils ont juste été libérés à la faveur d'une erreur… Les enquêteurs parviennent à remettre la main sur Francis Mariani en janvier 2002 ; Costa est arrêté peu après et Santucci finit par se constituer prisonnier. Ils écopent respectivement de quatre ans de prison pour le premier, et de trois ans pour les deux autres, pour recel de vol de véhicules et port d'armes en réunion. Pour la Brise, c'est certes un désagrément, mais certainement pas une catastrophe.

Après trente ans de règne, les piliers de la Brise ont vieilli. La plupart se sont retirés des affaires et vivent de leurs rentes. Ils suivent aussi le parcours d'une nouvelle génération formée en leur sein, composée pour partie des enfants ou neveux de certains d'entre eux, tels que Lionel Rossi, neveu de Pierre-Marie Santucci ou Jacques Mariani, fils de Francis. Né en 1965, de tempérament aussi violent qu'imprévisible, il est condamné en 1998 à quatre ans de prison pour escroquerie en bande organisée et sera victime d'une tentative d'assassinat peu après sa sortie en 2001. En 2008, il sera à nouveau condamné à quinze ans de prison pour assassinat. Ami de Jacques Mariani, José Menconi est une autre « jeune pousse » qui prend rapidement de l'importance. Il se distingue par un savoir-faire certain en matière d'évasion et un goût prononcé pour le racket de lieux nocturnes à la mode, notamment à Saint-Tropez. Les « jeunes pousses » de la Brise s'implantent sur la Côte d'Azur, reprenant en sous-main des bars, discothèques et machines à sous.

Plus gênant, une bande autonome de jeunes gangsters semble se développer sur le territoire même de la Brise, en Corse du Nord : on les appelle les « bergers de Venzolasca ». Leur chef putatif, Ange-Toussaint Federici, est écroué pour assassinat dans un bar de Marseille en avril 2006, ce qui ne semble pas l'empêcher de gérer ses affaires depuis sa cellule. Certains d'entre eux sont des anciens du mouvement nationaliste dissident MPA (Mouvement pour l'autodétermination, d'Alain Orsoni, dont on reparlera). Mettant leurs pas dans ceux de leurs illustres aînés, ils attaquent des fourgons, investissent dans les hôtels de luxe ou des cercles de jeu et même, dit-on, projettent d'ouvrir un casino au Sénégal ! Une volée de pierres dans le jardin de la Brise, qui ne semble pas vouloir, ou pouvoir, réagir en force comme par le passé. D'autant que les ennuis ne font, pour elle, que commencer.

Avant de mourir, Jean-Jé a réuni son clan pour évoquer l'ombre de plus en plus menaçante de la Brise de mer sur son fief. Le clan Colonna en est persuadé : c'est Richard Casanova qui est derrière la mort de Robert, Casanova qui est la cause véritable du divorce Feliciaggi/ Tomi, Casanova qui voulait s'emparer des affaires Feliciaggi en Afrique, Casanova qui débauche Codaccioni, et brise le pacte de non-agression entre les deux clans. Et surtout Casanova qui se fait cueillir par la police, comme par hasard, quelques jours avant l'assassinat de Feliciaggi ! (Il sera libéré en novembre contre une caution de 150 000 euros.) Une coïncidence d'autant plus étonnante que, nul ne l'ignore, pendant une quinzaine d'années Casanova officiellement en cavale a été pratiquement libre de ses mouvements : chaque tentative pour le « serrer » s'est soldée par un échec. Comme si Richard « le menteur » était doté d'un infaillible sixième sens. Ou, murmurent les mauvaises langues, comme s'il était protégé par un « grand flic ». En février 2000, son nom avait été bizarrement retiré du fichier des personnes recherchées, selon *Le Monde* : « Une bourde surprenante dans laquelle les mauvais esprits avaient cru deviner la main de Roger Marion, alors numéro deux de la police judiciaire, ex-patron de l'antiterrorisme et grand habitué des rivages corses[4]. » Une hypothèse qui n'a pas été démentie. Pour le moment, donc, Richard est intouchable dans sa cellule. Mais son nouveau «lieutenant», Jean-Luc Codaccioni, pourrait bien être celui qui a exécuté Feliciaggi, murmure-t-on au *Petit Bar*. Pendant l'enterrement de Robert, surveillé au téléobjectif par la police, Ange-Marie Michelosi et Jean-Luc Codaccioni en viennent d'ailleurs aux mains, avant que Jean-Jé ne les sépare. Codaccioni va désormais vivre dans la crainte.

Avant son décès soudain, Jean-Jé analyse correctement la situation. Casanova est de plus en plus gourmand et remuant ; il s'implante sur des territoires qui ne sont pas les siens et cela déplaît, y compris à ses pairs de la Brise, qui aspirent plutôt au *statu quo*. Il faut donc le prendre à revers. Quels sont les canaux utilisés pour cette démarche inhabituelle ? Mystère. Toujours est-il que dans les mois qui suivent la mort de Robert, loin de rester passif, le très politique Jean-Jé s'est trouvé un allié de poids au sein de la Brise, bien décidé comme lui à stopper l'activisme de Casanova : Francis Mariani, décrit comme un poids lourd du gang, va officialiser son hostilité en se rendant à l'enterrement de Jean-Jé en compagnie de Pierre-Marie Santucci ! Les policiers qui observent la scène n'en reviennent pas : c'est la première fois en trente ans que la sacro-sainte règle de solidarité absolue entre les piliers de la Brise est publiquement enfreinte. D'une certaine manière, ce retournement a sa propre logique : Mariani le fils d'agriculteur et Casanova le fils de

---

4. Antoine Albertini, *Le Monde*, 25 avril 2008.

bonne famille, charismatique et mondain, ont des caractères opposés, mais ce sont les deux membres de la Brise qui sont restés les plus actifs. Il était prévisible qu'ils s'affrontent un jour. Et, pour Mariani, s'allier à un clan Colonna en perte de vitesse n'est pas le plus mauvais moyen pour mettre en douceur la main sur certaines affaires dans le sud de l'île. C'est d'ailleurs pendant l'incarcération de Casanova qu'il se montre le plus actif de ce côté, tout en cultivant ses liens avec la bande du *Petit Bar* de Michelosi. Bien entendu, ce renversement d'alliances n'est pas sans risques : selon l'Office central de lutte contre le crime organisé (OCLCO), Mariani échappe à pas moins de trois tentatives d'assassinat en 2007 et 2008. Dans les rangs historiques de la Brise, l'incompréhension domine envers ce face-à-face suicidaire : en entamant les hostilités, les deux hommes se sont eux-mêmes mis en marge du groupe. Qui va l'emporter ?

Hécatombes et nouveaux entrants

Le 23 avril 2008 à Porto-Vecchio, le plus flamboyant baron de la Brise est abattu par une rafale d'arme automatique. Le rusé Richard Casanova ne ramassera pas le pactole : il tombe le premier, victime de ses propres combinaisons. Dans sa voiture, on retrouve d'instructifs dossiers sur des projets immobiliers autour de Porto-Vecchio, ainsi que les plans du futur port de la ville. Un sujet qui intéresse aussi Francis Mariani et qui serait au cœur d'une rencontre entre un de ses lieutenants et le maire de Porto-Vecchio. Mais Casanova disparu, ce n'est pas encore la fin de partie.

Le 16 juin 2008, c'est au tour de Jean-Claude Colonna, le cousin de Jean-Jé et son successeur à la tête du clan (même s'il n'a pas le même poids) d'être abattu. Une élimination qui ressemble fort à des représailles, Mariani passant miraculeusement à travers les gouttes… pour le moment. Le 3 juillet, un de ses fidèles, Daniel Vittini, est cependant exécuté de plusieurs balles dans le dos. Le 9 août enfin, Ange-Marie Michelosi, le lieutenant de Jean-Jé, est abattu à son tour. Cela commence à ressembler à une hécatombe pour l'alliance Mariani-Colonna. De surcroît, plusieurs jeunes gâchettes de la bande du *Petit Bar* sont en prison à la même époque, pour diverses affaires de droit commun.

Le 13 janvier 2009, on retrouve deux cadavres carbonisés dans un hangar agricole. Le premier est celui d'un commerçant inconnu des services de police, quant au second il faudra pour l'identifier une expertise ADN : il s'agit bel et bien de Francis Mariani. Les deux hommes ont été victimes d'une bombe, vraisemblablement actionnée à distance. Un mois plus tard, le 10 février, le complice de trente ans de Mariani, Pierre-Marie Santucci, est abattu par un sniper alors qu'il quitte un bar de Vescovato, au sud de Bastia. Quatre piliers de la Brise sont maintenant à terre : Casanova, Vittini, Mariani et Santucci. Sans compter que, fin avril, un cinquième baron, Maurice Costa, échappe de peu aux tueurs. Devant l'ampleur prise par cette série meurtrière, le ministère de l'Intérieur décide d'envoyer dans l'île les experts de l'Office central de lutte contre la criminalité organisée (OCLCO), saisis du dossier avec la PJ locale.

Aussi bien la Brise que le clan Colonna sont désormais trop affaiblis pour soutenir une guerre en règle. Alors y a-t-il quelqu'un pour actionner cette machine infernale ? « Sur l'île, les projets immobiliers se multiplient et tous les voyous veulent leur part de gâteau, constate, amer, un élu nationaliste. La Corse est devenue une grande lessiveuse[5]. » D'autres remarquent que l'extrême-sud se développe bien : c'est en train de devenir une sorte de petit Saint-Tropez[6]. » Un potentiel économique qui aiguise bien des appétits.

Qui donc ramassera la mise ? Certains enquêteurs de la DCRI (Direction centrale du renseignement intérieur) observent que le clan des « bergers braqueurs » de Venzolasca récupère un par un les établissements tenus jusqu'ici par Mariani et Casanova dans le nord de l'île. Se pourrait-il qu'on ait quelque peu « aidé » Casanova et les Colonna-Mariani à s'entretuer ? Si c'était le cas, ce serait une manœuvre magistrale, digne des plus hauts faits d'armes de la Brise. Et la création d'une nouvelle légende du banditisme corse. Mais les jeux ne sont pas encore faits. Et d'autres peuvent prétendre exercer leur leadership sur l'île.

Un autre groupe, jusqu'ici très discret, va occuper le devant de la scène à son tour : celui des anciens nationalistes du MPA d'Alain Orsoni (Mouvement pour l'autodétermination). Cette figure du nationalisme s'est éloignée dans les années 1990, sans doute à raison, de la guerre fratricide qui ravageait les divers mouvements clandestins : il s'est exilé en Amérique du Sud, et semble avoir bâti de belles affaires dans l'implantation de jeux de hasard sur le continent latino-américain. Or voici qu'en mai 2008, après la mort de Jean-Jé et de Casanova, celui qu'on a surnommé « le Bel Alain » revient au pays. Officiellement, il est venu honorer une promesse faite à un vieil ami, Michel

---

5. Témoin cité dans l'enquête du magazine *Le Point, op. cit.*
6. Interview de Gilles Leclair, coordinateur des services de sécurité intérieure auprès du préfet de région, *Corsica*, juin 2009.

Moretti, atteint d'un mal incurable et qui vient de se donner la mort. Moretti dirigeait l'ACA (Athletic Club d'Ajaccio), club de football local : Alain Orsoni a promis de le remplacer. Mauvaise fille, la rumeur lui prête des intentions moins pures : reprendre en mains les affaires du sud de l'île.

Certains croient à ce scénario : fin août 2008, un policier repère un jeune repris de justice, Pascal Porri. Pris en filature, ce dernier est vu en compagnie d'autres hommes, effectuant des repérages autour du stade de l'ACA et transférant des armes d'une voiture à l'autre. Ils en déduisent qu'un attentat se prépare contre Orsoni. Le 29 août, jour du match Ajaccio-Vannes, Porri et trois complices sont présents, armés, avec une voiture et une moto. Un dispositif qui ne laisse guère de doute sur leurs intentions. Avant que la police ait eu le temps de les interpeller, les autres hommes prennent la fuite. Il faudra plusieurs mois d'instruction pour « association de malfaiteurs en vue de la commission d'un homicide volontaire en bande organisée » avant que l'on identifie les commanditaires.

Si Porri a disparu, les policiers lors de leurs filatures ont identifié en sa compagnie... Pierre-Toussaint Michelosi, le frère d'Ange-Marie ! Après tout, le clan Colonna n'est peut-être pas tout à fait mort. Une première vague d'arrestations de proches ne mène pas à grand-chose. Mais en avril 2009, les policiers procèdent à 23 nouvelles interpellations, en Corse et dans le Midi, incluant Pierre-Toussaint et sa sœur Marie-Jeanne Bozzi (ex-élue locale UMP) et divers proches du clan. Avec en prime la saisie d'un impressionnant matériel de sniper. À force d'interrogatoires, les policiers finissent par obtenir des réponses d'un membre de la bande, Edmond Melicucci : oui, il y a bien eu un projet d'assassinat d'Alain Orsoni. Selon les Michelosi, Orsoni ne serait pas le commanditaire direct du meurtre d'Ange-Marie, mais il aurait «couvert» l'opération. Une affirmation qui fait bondir Alain Orsoni, qui estime n'avoir aucun lien avec cette affaire.

Un autre genre d'ennui frappe Antoine Nivaggioni, un des fidèles du «Bel Alain». Après l'avoir accompagné un temps en Amérique du Sud, Antoine est revenu dans l'île pour créer en 2000 la Société méditerranéenne de sécurité (SMS), une PME particulièrement dynamique puisqu'elle est devenue le troisième employeur privé de l'île avec près de 300 salariés. Mais voilà, depuis la fin 2007, la SMS est dans le collimateur de la justice. Et le filet se resserre dangereusement sur Nivaggioni…

III

Les curieuses affaires d'Antoine Nivaggioni

En cette fin d'année 2006, où ils sont déjà très occupés par les règlements de comptes en cours dans l'île, les services de police reçoivent une rafale de dénonciations – plus d'une dizaine – les alertant sur des détournements de fonds à la Société méditerranéenne de sécurité. Il semble bien que quelqu'un ait une dent contre son patron, Antoine Nivaggioni. Pour anonymes qu'elles soient, ces dénonciations sont suffisamment précises pour que l'on prenne la peine de les vérifier : une enquête est donc confiée à Tracfin et à l'OCRGDF (Office central de répression de la grande délinquance financière).

Le filet se resserre

À l'époque, la SMS qui emploie plus de 300 personnes assure de nombreuses missions dans l'île : surveillance de l'aéroport d'Ajaccio, de banques, de parkings, d'hôtels, de stades, sans compter les studios de France 3-Corse et divers bâtiments publics. En plein essor, la société s'est implantée sur le continent, remportant des contrats comme l'aéroport de Toulon-Hyères, le port autonome de Marseille, ou la sécurité des navires de la SNCM (qui assurent la liaison avec la Corse). Active dans le Midi, la SMS envisage d'étendre ses activités à l'outre-mer. Pour pouvoir travailler sur des secteurs sensibles comme les ports et les aéroports, une société de ce type reçoit l'agrément des autorités préfectorales : plusieurs préfets ont donc eu à lui donner leur feu vert : en Corse, mais aussi dans le Var et les Bouches-du-Rhône. De plus, les gros contrats de surveillance ont été signés à l'issue d'appels d'offres publics, aux règles particulièrement strictes.

À Ajaccio, tout le monde connaît Antoine, le patron de la SMS. Rond, jovial et charmeur, d'un bagou irrésistible, ce fils d'épiciers a exercé divers métiers avant de se lancer dans la sécurité en 2000. Mais il a surtout été un membre éminent du nationalisme corse dans les années 1990 : après la scission du FLNC, Nivaggioni a suivi Alain Orsoni, leader du MPA (Mouvement pour l'autonomie) et de son mouvement clandestin, le FLNC-Canal habituel, qui combattait alors le FLNC-Canal historique de François Santoni et Charles Pieri. Tout ce petit monde vivait alors dans une semi-clandestinité, circulant de planque en planque, grimé et armé, ne dormant jamais deux nuits au même endroit. Une épopée violente qui a surtout eu pour effet d'affaiblir la mouvance nationaliste. Le MPA et le Canal habituel se sont dissous ; Alain Orsoni a choisi de prendre du champ en Amérique du Sud. Nivaggioni a démontré pendant cette période un talent certain pour se sortir de situations délicates… et une salutaire expertise des armes à feu. En juillet 1993, il est d'ailleurs arrêté l'arme à la main sur la bien nommée route des Sanguinaires, au nord d'Ajaccio, peu après la tentative d'assassinat d'un membre du milieu. Dans la mesure où il a bel et bien fait usage de son arme, sa situation est délicate. Heureusement, son avocat saura se montrer persuasif. Selon la version défendue aux assises par Me Antoine Sollacaro, la victime, grièvement blessée par des inconnus à moto, a riposté. Mais, dans l'affolement, l'homme a tiré par erreur sur Nivaggioni, qui passait par là, bien tranquillement, à moto… Ce dernier a alors instinctivement ouvert le feu à son tour. Une plaidoirie apparemment convaincante, puisqu'elle vaut à son client un acquittement au bénéfice de la légitime défense, en 2001.

Cette décision de justice va permettre à Antoine Nivaggioni, «assagi», de s'épanouir dans les affaires. C'est en mars 2000 qu'il a fondé la SMS avec Yves Manunta, autre ex-nationaliste, de la tendance ANC (*Accolta Naziunale Corsa* de Pierre Poggioli). Les deux hommes se sont partagé le travail : Manunta s'occupant de la partie «surveillance» classique et Nivaggioni des activités «sécurité». Leur passé quelque peu agité et les menus démêlés judiciaires de Nivaggioni ne semblent pas gêner les autorités corses. La page est tournée, chacun a le droit de refaire sa vie. Nivaggioni peut proclamer dans *Libération* : «Nous ne sommes pas une officine nationaliste mais une société commerciale dynamique[1].» Mais, pour d'obscures raisons, les deux hommes clés de la SMS vont entrer en conflit en 2004, avant de se séparer l'année suivante. Manunta crée alors une autre société de sécurité, la SSM (Société de sécurité méridionale). La SSM gardera le marché de l'hôpital d'Ajaccio et de plusieurs grandes surfaces et établissements hôteliers. Cette scission ne freine pas l'essor de la SMS, dont l'homme lige est devenu un notable de l'île. Il dialogue avec tous ceux qui «comptent», politiques et patrons, et affiche sa réussite à bord d'une Audi A6 blindée à 150 000 euros, courant les boutiques et les hôtels de luxe.

Ce train de vie renforce la suspicion des enquêteurs, qui vont de surprise en surprise dans le dossier. Selon eux, ce ne sont pas

---

1. *Libération*, 28 juin 2002.

loin de 2 millions et demi d'euros qui auraient été détournés entre 2003 et 2006, une partie de ces sommes passant par le compte personnel de Nivaggioni. Malgré un coquet salaire approchant les 15 000 euros par mois (soit deux fois plus que le gérant officiel Jean-Claude Nativi), Antoine Nivaggioni qui n'est, pour l'administration, que «directeur du personnel», aurait cependant fait un usage intensif de la carte bleue de la société à des fins privées : repas, hôtels, voyages avec des «amies», etc. Par ailleurs, il fait de nombreux cadeaux à sa compagne en titre, qui reçoit entre 2003 et 2006 plus de 150 000 euros par chèques ou virements, sans compter de nombreuses attentions, objets, bijoux et vêtements de grandes marques. Enfin, cette dernière s'est également fait offrir un véhicule Audi et un bien immobilier détenu par la SCI Colomba Mérimée d'une valeur de 560 000 euros. Pour la police, pas de doute possible : le patron de la société a «tapé dans la caisse», et pas qu'un peu !

L'homme aurait par ailleurs reçu d'importants prêts de particuliers qui n'ont jamais été remboursés et seraient en fait des «tickets d'entrée» permettant de s'associer à certaines affaires. Selon une note de Tracfin citée par *Le Monde*, Nivaggioni aurait encaissé en 2005 et 2006 six chèques et trois prêts d'une société de négoce en fruits ajaccienne, pour un montant total de 1,5 million d'euros[2]. Comme le révélera plus tard *Le Nouvel Observateur* : «Parmi les créanciers, on trouve Toussaint Luciani, ancien élu et figure patriarcale de l'île, personnalité "éminemment respectée", comme l'écrivent les enquêteurs dans un rapport de synthèse, ou un transporteur de l'Isère, fortement incité par un truand grenoblois à verser son obole : 128 000 euros. Le

---

2. Antoine Albertini, «L'enquête sur Antoine Nivaggioni vise la chambre de commerce d'Ajaccio», *Le Monde*, 14 février 2008.

prix à payer, lui a-t-on expliqué, pour qu'"un continental puise investir tranquillement dans l'île"[3]. » Tout cela est ennuyeux pour Antoine, qui devra s'en expliquer devant la justice. Mais ce n'est que la partie émergée de l'iceberg : plus qu'une simple affaire d'abus de biens sociaux, l'affaire de la SMS va mettre en cause d'autres personnalités.

Après l'enquête de Tracfin et deux rapports de synthèse des services de police, une information est ouverte en janvier 2007, confiée au juge marseillais Charles Duchaine, pugnace spécialiste des affaires financières connaissant bien la Corse et le sud de la France puisqu'il a été en poste à Monaco et à Bastia. Il est notamment célèbre pour avoir tenté de « secouer le cocotier » financier monégasque entre 1995 et 1999. Goûtant fort peu les interventions du procureur général dans ses dossiers, il s'en est plaint à sa hiérarchie française, ce qui lui a valu une procédure disciplinaire monégasque. La ministre de la Justice de l'époque, Marylise Lebranchu, l'a alors exfiltré vers la Corse. Son expérience a donné lieu à un livre fort instructif, notamment sur le blanchiment des casinos[4], mais peu apprécié de sa hiérarchie, murmure-t-on Place Vendôme. Pour mener ses investigations sur la SMS, le juge est assisté par la JIRS de Marseille, juridiction interrégionale spécialisée, regroupant policiers, gendarmes et douaniers. Un certain nombre de contacts de Nivaggioni sont alors mis sur écoutes pour démêler l'écheveau de ses affaires : des clients, des fonctionnaires, des politiques, des nationalistes, et plus encore... Les écoutes permettent aux enquêteurs de

---

3. Marie-France Etchegoin et Ariane Chemin, « Les secrets du dossier Powell », janvier 2008.
4. Charles Duchaine, *Juge à Monaco*, Michel Lafon, 2002.

confirmer et d'affiner leurs soupçons : oui, la SMS bénéficie bien d'un vaste système de corruption qui lui permet d'être favorisée dans l'obtention d'importants marchés. Et, apparemment, Antoine Nivaggioni et ses interlocuteurs ne sont guère troublés par une série de perquisitions et de gardes à vue qui permet, courant 2007, de saisir des documents « sensibles ». Pas plus qu'ils ne semblent s'inquiéter de la situation financière de la SMS, dont la trésorerie paraît pour le moins « tendue ».

Coup de tonnerre : le 20 novembre 2007, les enquêteurs sifflent la fin de la récréation en interpellant divers proches de Nivaggioni, des comptables, mais aussi des responsables de la chambre de commerce et d'industrie (CCI) de Corse, dont le président Raymond Ceccaldi, ainsi que le président du MEDEF du Var, Gérard Cerruti, et le président de la CCI de Toulon, Jean Bianchi. Du beau monde. En revanche, Antoine Nivaggioni est, ce jour-là, insaisissable. Peut-être doté d'un sixième sens, il semble avoir disparu juste à temps. En attendant de le retrouver, les enquêteurs ont de quoi travailler.

Sur le dossier varois, par exemple, les enquêteurs sont persuadés que l'attribution à la SMS du marché de l'aéroport de Toulon-Hyères n'a pas été régulière. Après consultation des réponses à l'appel d'offres qui était défavorable à la SMS, une deuxième procédure a été lancée, Nivaggioni ayant eu connaissance des offres concurrentes, ce qui lui aurait permis de mieux calibrer sa réponse. Selon *Le Monde*, « les enquêteurs s'intéressent à un fax adressé à l'espace affaires de l'aéroport d'Orly, après l'abandon d'un premier appel d'offres jugé infructueux par la chambre de commerce du Var. Le document, pourtant confidentiel, était parvenu abondamment annoté à un responsable de la sûreté de l'aéroport, chargé de le "corriger". Une manœuvre destinée, selon les magistrats, à permettre à la SMS de remporter le marché. Ce qui advint, finalement, après un deuxième appel d'offres[5].» L'accusation est grave et va devoir être examinée par la justice : Gérard Cerruti a été mis en examen et laissé en liberté sous contrôle judiciaire. Raymond Ceccaldi, le président de la CCI de Corse du Sud, n'a pas cette chance : il va passer sept semaines en détention. Le temps de réaliser avec lui un vaste tour d'horizon des huit appels d'offres remportés en six ans par la SMS auprès de son institution, dans des conditions contestées.

Des liens très étroits

En décortiquant les documents saisis à la CCI et en recueillant les témoignages des divers responsables, les enquêteurs réalisent que la chambre est partiellement noyautée, à divers niveaux, par des amis ou relations d'Antoine Nivaggioni. Ainsi Lucien Peres, responsable de la cellule des marchés publics, qui instruit les dossiers et compare les réponses aux appels d'offres, a joué un rôle important dans l'attribution des premiers gros marchés de sécurité de l'aéroport d'Ajaccio. Un an plus tard, il a quitté la CCI pour rejoindre la SMS, avec une belle augmentation de salaire, ce qui est illégal et n'a fait l'objet d'aucune réaction de la CCI. Le 21 décembre 2007, il sera mis en examen pour favoritisme et laissé en liberté sous contrôle judiciaire. Un autre employé de la chambre, Renaud S., décrit par son président comme un «protégé d'Antoine Nivaggioni», a accumulé à partir de 2005 les arrêts maladie et absences injustifiées. Jusqu'à la fin 2007, le président

---

5. Antoine Albertini, *op. cit.*

de la CCI n'a pris aucune sanction malgré les demandes répétées de la hiérarchie, se contentant de refuser sa titularisation. Une situation qui fait soupçonner un emploi fictif et vaut à Raymond Ceccaldi une mise en examen pour détournement de fonds publics. Un autre employé, Charles C., désigné par Ceccaldi comme « ami » de Nivaggioni, était censé contrôler le travail de la SMS à l'aéroport d'Ajaccio, mais limitait sa présence à l'aéroport aux heures creuses et se contentait de demander au superviseur de la SMS si tous les agents étaient présents. Enfin, Francis Pantalacci, président de la commission des finances de la CCI au moment des faits, et donc aussi de celle des appels d'offres, est lui aussi un proche de Nivaggioni : ils ont milité ensemble au sein du MPA. Apparemment d'un naturel timide, Pantalacci disparaît dans la nature au moment du coup de filet général. Il finira par se rendre à la raison et à la police le 8 janvier 2008. Dernière coïncidence, le commissaire aux comptes de la CCI était par ailleurs le comptable de la SMS, ce qui pouvait susciter un léger conflit d'intérêts.

Un tel quadrillage de l'institution CCI laisse songeur, et conduit à s'interroger sur les relations exactes de son président, Raymond Ceccaldi, avec l'homme vers qui tout semble converger, Antoine Nivaggioni. S'il reconnaît bien volontiers connaître l'homme clé de la SMS « depuis vingt ans », Ceccaldi nie farouchement avoir entretenu avec lui plus que des relations de courtoisie. Il dément la rumeur qui lui prête un passé au MPA. Si, avant de devenir président de la CCI, il y a été élu sur la liste de Gilbert Casanova, lui-même proche du MPA, c'était sans étiquette particulière. Il reconnaît en revanche qu'Antoine Nivaggioni est « un homme d'influence », qui sait se montrer très persuasif, et avec qui il ne souhaitait pas entrer en conflit.

Cette situation semble avoir grandement facilité les choses pour la SMS. Selon une note de synthèse adressée par le groupe antiblanchiment de l'OCRGDF à la justice, le 11 juillet, elle a bénéficié d'un «favoritisme manifeste et sans équivoque». Plusieurs témoins de l'intérieur, dont le président de la commission d'ouverture des plis, affirment que les marchés étaient bouclés en amont de la procédure d'appel d'offres. L'examen des archives des appels d'offres saisis à la CCI révèle un ensemble de manipulations permettant à tous les niveaux de donner des coups de pouce au «bon» dossier: on écarte certaines offres «manifestement trop basses», d'autres qui seraient arrivées hors délai (ce qui n'est pas toujours le cas). On analyse les dossiers en fonction de critères un peu différents de ceux annoncés, ou bien on découpe les critères officiels en «sous-critères», sans que de telles distorsions analytiques soient rendues publiques, etc. Pour le premier marché de l'aéroport d'Ajaccio (1er semestre 2002), la commission a retenu contre toute attente l'offre la plus élevée. À compter du 1er mars 2003, ce marché a fait l'objet d'un avenant constatant une augmentation des coûts salariaux de 25 %. La DGCCRF a donné son accord pour une courte durée à condition qu'un nouvel appel d'offres soit lancé dans la foulée. Pour l'appel d'offres de 2003, l'offre de la SMS n'était pas en règle, tandis que l'offre concurrente de Securitas, poids lourd du secteur de la sécurité qui avait été «invité» à se présenter par ses contacts au ministère de l'Intérieur, a été écartée sur une irrégularité de forme. Un cadre de Securitas interprète ainsi l'épisode: «L'impression laissée était que dans une guerre d'influence entre le local et la force publique nationale, le local avait gagné.» Enfin, en 2004, 2005 et 2006, la SMS a été la seule société à répondre à l'appel d'offres, qui aurait dû de ce fait être invalidé.

Tout s'est passé comme si les concurrents potentiels avaient compris qu'il était inutile de perdre son temps à présenter une offre. Autre irrégularité, il semble que la SMS ait surfacturé certaines de ses prestations : les effectifs annoncés à la CCI sont supérieurs à ceux réellement présents dans une proportion pouvant atteindre 50 %. Des employés de la SMS, facturés à la CCI, travailleraient en même temps sur d'autres sites.

L'ampleur des malversations semble énorme et les avocats des prévenus auront raison de souligner à l'audience que les marchés publics sont soumis au contrôle d'organismes officiels qui auraient normalement dû tirer la sonnette d'alarme. Comment est-il possible qu'un tel système ait pu perdurer ? La justice devra l'établir. De même qu'elle devra trancher sur la responsabilité de Raymond Ceccaldi qui, comme les autres mis en examen dans ce dossier, doit être présumé innocent tant qu'il n'a pas été condamné : pour l'instant aucun élément ne permet à notre connaissance d'établir un enrichissement personnel de sa part dans le dossier. Peu après sa sortie de prison, il déclarait en février 2008 : « Je n'ai jamais favorisé directement ni indirectement aucune société. Nous le démontrerons[6]. » Si sa faute éventuelle se limite à une succession de faiblesses et négligences coupables, elle aura eu de lourdes conséquences. Et elle illustre bien un certain type de fonctionnement insulaire : la proximité des uns et des autres dans la société corse rend d'autant plus difficile pour les responsables politiques et économiques de résister aux pressions latentes et de dénoncer des irrégularités qui ne semblent pas choquer grand monde.

---

6. Cité in Antoine Albertini, « SMS, aveux et désaveu », *Corsica*, avril 2008.

Une vague d'arrestations, des soupçons de «favoritisme», de surfacturations et de détournements : à la lecture du dossier, on ne prédit pas, fin 2007, un grand avenir à la SMS et à son «vrai faux patron», Antoine Nivaggioni, alors en fuite. Et pourtant… Il semble que la SMS bénéficie encore de quelques soutiens…

IV

Les discrets appuis de la SMS

Début 2007, la SMS est chancelante. Sa trésorerie est plus que tendue : elle affiche pour l'exercice 2005 une perte de 640 000 euros. Il est probable que les différentes ponctions de son dirigeant ne l'ont pas aidée à constituer des réserves de précaution. Courant 2006 a été mise en œuvre une procédure de sauvegarde : la société était placée entre les mains d'un administrateur judiciaire, dans l'attente d'un retour de fortune ou d'une solution de recapitalisation. Cette procédure permet de maintenir l'activité de l'entreprise, de geler ses dettes, notamment vis-à-vis des organismes sociaux, tout en assurant le paiement des salaires essentiels. Une situation qui explique que les versements de la société à Antoine Nivaggioni aient été beaucoup plus modérés en 2006, tandis qu'il développait le système de « prêts » que l'on a observé. À l'issue de cette période, le tribunal de commerce doit se prononcer sur la poursuite de l'activité. Mais à partir de mars, une première vague de perquisitions étant menée à la CCI et à la SMS, on sait qu'une enquête est en cours, qui menace la relation privilégiée de la société avec son plus gros client. Et fin 2007, c'est le coup de filet. Nivaggioni est en fuite. Les ennuis de la société sont de notoriété publique.

L'avocat de la société a proposé un plan de sauvegarde au tribunal, suivi d'une proposition de recapitalisation, 40 % des parts devant être reprises par une société continentale, la JMS, filiale du groupe Ginger, en septembre 2007. Le parquet s'oppose au plan de sauvegarde. Et pourtant... déjouant les pronostics, début 2008, le tribunal de commerce d'Ajaccio se prononce contre le redressement judiciaire et en faveur du plan. La SMS va changer de nom, pour se rebaptiser Arcosur, manière de se refaire une virginité. Encore plus étonnant : en avril 2008, la préfecture de Corse du Sud renouvelle pour cinq ans l'agrément de la société lui permettant d'assurer la sécurité de l'aéroport d'Ajaccio, après un audit favorable de la direction de l'aviation civile[1].

Mais qui sont donc ces investisseurs qui ont apparemment sauvé la SMS de la noyade ?

Les chevaliers blancs

Deux nouvelles figures font leur apparition dans le dossier SMS : les hommes d'affaires Jean-Luc Schnoebelen et Éric-Marie de Ficquelmont. Le premier est un ancien de Bouygues et de la Lyonnaise des eaux, désormais à la tête du groupe Ginger, côté en Bourse et spécialisé dans l'ingénierie. Un groupe qui compte une cinquantaine de sociétés à travers le monde et emploie près de 2 500 personnes, dont une moitié d'ingénieurs. Selon son site Web, c'est « l'un des majors français de l'ingénierie de prescription[2] ». Constitué à partir du rachat par Jean-Luc Schnoebelen du Centre d'expertise du bâtiment et des travaux publics à la Fédération française du bâtiment, en 1997, il s'est progressivement diversifié dans l'expertise en construction, l'ingénierie de l'environnement, et enfin dans le domaine des télécoms.

1. Gilles Millet, « Où en est l'affaire SMS », *Corsica*, décembre 2008.
2. Site consulté le 21 août 2009.

Ficquelmont, quant à lui, est un ancien cadre supérieur du groupe Veolia, en charge des marchés publics, avant d'être mis à l'écart en 2007. Un homme à réseaux, doté d'une grande expérience des marchés publics, qui se double d'un caractère très secret et très prudent : il n'aurait pas d'autre agenda qu'un carnet en papier dont il déchire chaque soir la page du jour[3]. *Corsica* décrit ainsi son parcours : «À la mi-septembre 2007, il s'est retrouvé sans emploi, proprement viré du bureau du sixième étage de Veolia, avenue Kléber à Paris. Motif invoqué : il était jugé trop proche du camp chiraquien par Henri Proglio, lui-même proche de Chirac mais converti aux joies du sarkozysme triomphant par son "amie" Rachida Dati[4].» Un revers de fortune qui ne devrait pas ébranler cet homme dynamique aux amitiés éclectiques. On le dit notamment très proche d'Alain Bauer, qui conseille en matière de «sécurité» le candidat puis le président Nicolas Sarkozy.

Affinant son portrait, *Le Nouvel Observateur* établit que «cet homme discret compte aussi dans son carnet d'adresses deux relations haut placées : Frédéric Péchenard, directeur général de la Police nationale, et Bernard Squarcini, directeur de la DST depuis juin 2007, bientôt à la tête de la DCRI[5]. Avec le premier, il est "ami depuis l'enfance". Quant au second, il l'a rencontré alors qu'il régnait sur les marchés publics de Veolia : "Lorsque vous touchez à l'intérêt national, vous êtes en permanence aidé par les RG, c'est normal",

---

3. Ariane Chemin et Marie-France Etchegoin, «L'affaire corse qui embarrasse le pouvoir», *Le Nouvel Observateur, op. cit.*
4. Antoine Albertini, «Scandale de la SMS», *Corsica*, mars 2008.
5. La DCRI regroupe depuis 2008 les services des ex-Renseignements généraux et l'ancienne DST.

explique-t-il à l'hebdomadaire. Ainsi, en 2005, lorsque son groupe veut reprendre les navires de la SNCM (Société nationale Corse-Méditerranée) qui relient la Corse au continent, Squarcini fait recommander à Ficquelmont le nationaliste Antoine Nivaggioni. "Il m'a donné un sérieux coup de main dans le dossier SNCM, en termes de réflexion politique et syndicale", explique Ficquelmont[6]. » De son côté, l'investissement dans la SMS pourrait-il constituer une sorte de « renvoi d'ascenseur » ? L'intéressé s'en défend dans l'article cité : « Il n'y a eu ni service rendu ni demande politique. Quant au passé de Nivaggioni, ça m'est complètement égal. Chacun a sa vie. » De fait, on peut comprendre que Ficquelmont, qui vient de se faire « débarquer » de chez Veolia, n'ait pas pour priorité de retourner une faveur qui lui aurait été faite « ès qualités », en tant que représentant de Veolia dans le dossier SNCM. Rappelons-le, il est désormais à son compte. En revanche, « aucune demande politique », c'est moins sûr.

Car en entrant au capital de la SMS, les deux hommes d'affaires ont bien malgré eux mis les pieds dans la vaste toile d'araignée de l'enquête de police en cours sur la société et ses activités. Ils sont donc « écoutés ». Or, fin 2007, en pleine tempête médiatique de l'affaire « SMS », Jean-Luc Schnoebelen est interpellé au téléphone par l'un des actionnaires du groupe Ginger :

« Qu'est-ce que vous allez foutre là-dedans, si c'est pas indiscret ?

– Je peux pas en parler au téléphone… C'est lié à Ginger pour d'autres raisons… On a rendu service plus ou moins aux politiques… »

---

6. Ariane Chemin et Marie-France Etchegoin : « Ricochets Place-Beauvau », *Le Nouvel Observateur*, 4 décembre 2008.

Et, deux jours plus tard, répondant à son président du conseil de surveillance :

« On nous a demandé un service là-dessus […] aux plus hautes instances de… Aux plus hautes instances[7] ! »

Quelles peuvent bien être ces « plus hautes instances » ? Jean-Luc Schnoebelen refusant de rencontrer la presse pour expliciter ses propos, il est difficile à ce stade de se faire une idée plus précise, mais voilà en tout cas qui ne laisse pas d'intriguer.

Continuant à creuser le dossier, les enquêteurs découvrent que deux hommes ont joué un rôle non négligeable dans l'arrivée des nouveaux investisseurs. Didier Vallé est un homme de l'ombre. Ancien commandant des RG, il a créé sa propre société de conseil et de lobbying. Parmi ses clients, on retrouve Veolia et la SMS. Il a notamment effectué une campagne de lobbying pour aider Veolia à l'emporter dans le rachat de la SNCM. Et, comme cela peut sembler naturel, il a joué les intermédiaires pour aider la SMS à trouver des repreneurs. Ce qui paraît moins naturel, c'est une autre écoute policière, dévoilée cette fois par *L'Express*, dans laquelle Vallé serait l'auteur en 2007 d'un coup de fil ambigu à destination d'un proche de Nivaggioni : « C'est pour "notre ami". Il y a un gros orage qui se prépare[8]. » Trois heures plus tard, la PJ perquisitionnait dans les locaux de la SMS et au domicile de Nivaggioni. Là encore, difficile d'expliquer cette malheureuse coïncidence car l'intéressé refuse de rencontrer les journalistes, se contentant de se proclamer « autonome, indépendant et honnête ».

---

7. Citations extraites de l'article du *Nouvel Observateur* : « L'affaire corse qui inquiète le pouvoir », op. cit.
8. Zinedine Boudaoud, Éric Pelletier, Jean-Marie Pontaut, « Corse : un fugitif très entouré », *L'Express*, 5 novembre 2008.

L'autre go-between entre la SMS et les investisseurs a un profil plus public : Jean-Christophe Angelini, jeune et brillant élu territorial, est le patron du Parti de la nation corse (PNC). On le décrit comme un autonomiste modéré, partisan d'un nationalisme sans violence. Un positionnement qui intéresse l'État, en quête d'interlocuteurs « responsables ». J.-C. Angelini, dont les contacts avec le gouvernement ont été rompus trois ans plus tôt pour cause d'alliance électorale avec les nationalistes durs, est recontacté par un intermédiaire, peu après une manifestation qui a abouti à l'occupation sauvage des locaux de l'Assemblée de Corse et à l'incendie des bureaux du conseil exécutif. Angelini s'était désolidarisé publiquement de ce coup de force. Alors qu'une partie de la jeune génération de militants nationalistes se montre de plus en plus incontrôlable par les anciens et se radicalise, on comprend qu'un tel profil soit apprécié en haut lieu.

Le problème est que le dialogue risque d'être pollué par un petit inconvénient : Angelini, à son tour, est tombé dans les filets des « grandes oreilles » de la PJ : coups de fil quasi quotidiens aux proches de Nivaggioni et à Jean-Luc Schnoebelen, rencontres avec le nouveau comptable... L'élu semble manifester une sollicitude très particulière pour le sort de la SMS. Mais, à la différence d'autres acteurs du dossier, lui accepte bien volontiers de s'en expliquer.

D'Antoine Nivaggioni, Angelini raconte : « Je l'ai rencontré, notamment parce que beaucoup d'anciens du MPA (Mouvement pour l'autodétermination) ont participé à la création de *Mossa Naziunale* dont j'étais le secrétaire général. On s'est revu régulièrement, puis on s'est lié d'amitié. Les circonstances ont fait que Nadine Nivaggioni, membre du PNC (Parti de la nation corse), s'est retrouvée sur le même banc que moi à l'Assemblée. J'ai rencontré ensuite sa famille, il a rencontré la mienne et nos deux familles se sont liées d'amitié[9]. » Angelini l'affirme avec force, son intervention, qu'il ne nie pas, est totalement désintéressée et a pour seul but d'aider une entreprise stratégique pour l'emploi en Corse : « Tous mes comptes ont été épluchés en vain. S'il y avait eu un lien, on aurait pu parler de confusion. Moi, je suis dans mon rôle d'ami et d'élu quand je m'interroge sur le devenir de trois cents emplois. SMS, c'est le troisième employeur de l'île et je pense qu'on ne réalise pas ce que représenterait la perte de ces emplois. » Dont acte. La seule question serait donc de savoir si ce soutien amical et politique est resté dans les limites de la légalité.

Et c'est ici qu'intervient une incroyable « affaire dans l'affaire », celle du « vrai-faux passeport » d'Antoine Nivaggioni…

La course au passeport

Le 10 janvier 2008, la PJ surprend un coup de fil de Jean-Luc Schnoebelen au fils d'Antoine Nivaggioni :

« Normalement, je ramène le diplôme d'Antoine.

– C'est quoi le diplôme ?

– Ben, t'es con ! Réfléchis. »

Puis un coup de fil similaire à Angelini, qui saisit au quart de tour :

« Très bien, excellent ! », répond-il[10].

---

9. Cette citation, comme les suivantes, est extraite de son interview à *Corsica*, mars 2008.
10 *Le Nouvel Observateur*, « L'affaire corse qui inquiète le pouvoir », *op. cit.*

Les enquêteurs en sont persuadés : les « bonnes fées » de la SMS sont en train de préparer l'exfiltration d'Antoine Nivaggioni. Toujours en cavale, ce dernier constitue désormais un handicap pour l'équipe, soucieuse de redonner une virginité à l'entreprise et de « tourner la page ». Obtenir un passeport authentique pour un repris de justice ? C'est une affaire de professionnels.

17 janvier 2008 : une employée de la mairie d'Amiens est intriguée par un curieux ballet[11]. C'est tout d'abord une jeune femme qui se présente pour récupérer un passeport établi au nom d'Yves Lerouvillois, d'après un dossier déposé un mois plus tôt. L'employée refuse : un passeport ne peut être retiré que par son titulaire. Puis le service de l'état-civil reçoit l'appel téléphonique d'un interlocuteur qui se présente comme « capitaine de gendarmerie » et affirme avoir besoin de récupérer le passeport en question pour un de ses hommes, en « mission d'infiltration ». Malgré la mâle assurance de son interlocuteur, l'employée de mairie s'en tient au règlement : M. Lerouvillois devra se présenter en personne. Antoine n'est pas près de recevoir son « diplôme ».

Derrière cette tentative de « manip » apparaît un nouveau personnage, comme cette histoire en a le secret : Jean-François Beauchet. Antoine Albertini a reconstitué son parcours : « Engagé à 17 ans dans la Légion étrangère sous le nom de Gravizo Beck, il a accompli, après son passage sous le béret vert, une carrière dans le secteur de l'environnement. À la Sita d'abord, une filiale de la Lyonnaise des eaux qu'il quitte pour Valt, une autre

---

11. Le récit qui suit s'appuie sur l'enquête d'Antoine Albertini : « La vraie histoire du faux passeport », *Corsica*, mars 2008.

société du secteur, avec laquelle il monte «Bourbon Environnement» à la Réunion. L'aventure va durer trois ans, avant que Beauchet ne rejoigne les rangs d'Onyx, puis de Bouygues et ne parte pour deux années de «prospection» en Afrique, de la Côte d'Ivoire au Gabon en passant par la République centrafricaine. Ce parcours, apparemment motivé par la découverte de nouveaux marchés commerciaux sur un continent où le traitement des déchets est vital, intrigue les policiers. Beauchet n'aurait-il pas joué les «HC», les «honorables correspondants» pour la DGSE? Inutile de poser ce genre de question: le service de renseignement extérieur français n'a pas l'habitude d'y répondre.

C'est en 2007, après diverses péripéties, que Beauchet en quête d'un emploi serait rentré en contact avec Éric-Marie de Ficquelmont. Les deux hommes se seraient connus dix ans plus tôt dans le secteur de l'environnement. À la fin de l'été, selon Albertini, Ficquelmont présente Beauchet à Nivaggioni, «pour accompagner le développement commercial de la SMS» sur le marché africain. Rien ne se passe jusqu'au coup de filet de l'automne et la fuite de Nivaggioni, qui embarrassent les deux repreneurs.

Beauchet propose alors à Schnoebelen et Ficquelmont de fournir un faux passeport à Antoine. Il va pour cela utiliser les services d'un ancien para désœuvré, Pascal Djldeli. Les deux hommes se sont rencontrés en 2002 à Tarbes, *via* le frère de Beauchet qui s'était lié avec Djldeli lors d'une mission au Kosovo au sein du 35ᵉ régiment d'artillerie parachutiste. Beauchet a alors pris le jeune homme influençable sous son aile, lui faisant miroiter des «missions secrètes» pour la DGSE! En fait de mission secrète, le crédule parachutiste a en tout et pour tout fait fabriquer un «vrai-faux» passeport au nom d'un vieil oncle, en échange d'une rémunération spartiate de 1 000 euros… C'est un peu court pour celui qui rêve naïvement de missions de type «action» à l'étranger, mais Beauchet lui assure que ce n'est qu'un début. Et c'est en pensant à cette première mission qu'il propose à ses clients de rééditer l'opération en faveur d'Antoine. Seul problème, comme on l'a vu : cette fois le coup du passeport se présente mal. Le 17 janvier, Beauchet rencontre Schnoebelen et Ficquelmont pour leur faire part du contretemps et leur proposer un «plan B» : une exfiltration par jet privé. Mais les hommes d'affaires prennent peur et veulent arrêter les frais. Beauchet appelle alors Djldeli : «Je vois les amis […] parce qu'ils balisent, là, ils me disent y a un danger, quoi. Ils peuvent pas se mettre un truc de plus sur le dos[12].» Les policiers comprennent alors qu'il est temps d'intervenir.

Et le temps se gâte pour la fine équipe : en quelques heures les barbouzes et les hommes d'affaires sont interpellés. Les investisseurs nient toute implication. Gilles Leclair, numéro deux de la PJ, assiste en personne à l'interrogatoire de Ficquelmont, l'ami de son patron Frédéric Péchenard. Heureusement pour eux, les deux hommes semblent trouver les mots qu'il faut pour convaincre les policiers. Avec qui ils se montrent plus prolixes qu'avec la presse. Leur avocat, Me François Binet, précisera quelques semaines plus tard : «Depuis, l'ex-légionnaire a totalement dédouané mes deux clients. Quant aux écoutes brandies par les enquêteurs, on sait bien qu'on peut leur faire dire ce qu'on veut. Messieurs Schnoebelen et Ficquelmont ont eu le courage d'investir à titre personnel pour aider une entreprise en

---

12. Citation reprise par Antoine Albertini, *op. cit.*

difficulté. Ils ont appris à leurs dépens qu'il est risqué de faire des bonnes actions en Corse[13]. » Dès le mois de mars, assure l'avocat au *Nouvel Observateur*, les deux hommes sont sortis du capital de la SMS. Une affirmation quelque peu anticipée. En effet, à la fin de l'année 2008, MM. Schnoebelen et Ficquelmont étaient toujours actionnaires d'Arcosur.

Le PV d'assemblée générale mixte (à la fois AG ordinaire et AG extraordinaire) de la SARL Arcosur, en date du 11 août 2008, nous apprend bien que MM. Schnoebelen et Ficquelmont, détenteurs respectivement de 167 et 166 parts (sur 833) démissionnent de leur fonction de gérants. Ils sont désormais remplacés par M. Hugues Dupire et deviennent donc associés passifs. Peut-être la cession est-elle remise à plus tard ? De son côté, le commissaire aux comptes, démissionnaire, est remplacé.

La partie de l'ordre du jour relevant de l'AG extraordinaire est encore plus intéressante. L'assemblée autorise la SARL Mathieu fruits, sise à Mezzavia et immatriculée au registre du commerce d'Ajaccio, à se porter acquéreuse de 125 parts d'Arcosur auprès de Jean-Claude Nativi, le principal associé. Cette cession sera rendue effective par un acte déposé en septembre, les 125 parts étant vendues au prix de 150 000 euros. Ce qui fait tout de même 1 200 euros la part, soit une prime de 700 euros par rapport à la valeur nominale des parts : 500 euros. Soit une valorisation totale pour la société de près d'un million d'euros (999 600 pour être précis). Un million d'euros pour une entreprise sous le coup d'une procédure de sauvegarde et ayant rencontré quelques récents avatars, c'est une bien belle marque

---

13. Déclaration à Ariane Chemin et Marie-France Etchegoin du *Nouvel Observateur*, « L'affaire corse qui embarrasse le pouvoir », *op. cit.*

de confiance dans l'avenir… Heureusement, l'acquéreur n'aura pas besoin de mettre la main à la poche : « Le cessionnaire règle le prix de cession de 150 000 euros par compensation avec la créance d'un montant de 150 000 euros qu'il détient sur le cédant qui accepte[14]. » Généreuse SARL, qui avait déjà accordé en 2005 et 2006 trois prêts à Antoine Nivaggioni, pour un montant total de 97 000 euros. Son gérant, François Torre, est déjà associé à Jean-Claude Nativi dans une autre SARL « Les Terroirs insulaires ».

Le 16 juin 2009 a par ailleurs été constituée une holding financière, « Arcosur New co », au capital de 30 000 euros et dont le gérant est le même que celui d'Arcosur, Hugues Dupire. Quelle sera sa fonction ? « Prise de participations dans toutes entreprises, contrôle, animation, direction, coordination de ses participations et filiales… » Voilà un objet social qui témoigne, là encore, de projets ambitieux.

Il faut attendre les mois de juin et juillet 2009 pour comprendre le sens de ces opérations. En effet, par un acte sous seing-privé en date du 26 juin 2009, MM. Ficquelmont, Nativi, Schnoebelen (*via* sa société JLS Management) et la société Mathieu Fruits cèdent leurs parts à la holding Arcosur New Co, pour un prix global d'un million d'euros. La transaction est subordonnée à la réalisation de deux conditions suspensives : d'une part, l'« obtention par le cessionnaire [Arcosur New Co] d'un *nihil obstat* [veto] du tribunal de commerce au sujet de l'opération de cession des parts au profit de la SARL à capital variable à constituer et composée uniquement de sala-

---

14. Extrait de l'acte de cession de parts sociales en date du 26 août 2008.

riés de la société», d'autre part l'«obtention par le cessionnaire du maintien de l'agrément préfectoral de la Corse du Sud». Le paiement du prix interviendra en plusieurs fois : 30 000 euros sont répartis entre les cédants à la signature ; viendront ensuite trois versements mensuels de 10 000 euros. Le solde (940 000 euros) sera versé en 187 mensualités de 5 000 euros… ce qui veut dire que les cédants devront attendre pas moins de seize années pour récupérer leur investissement, sans réaliser de plus-value ! Cela ressemble fort à une sortie «faute de mieux» pour les hommes d'affaires Ficquelmont et Schnoebelen. Les annonces de leur avocat auront mis seize mois à se réaliser. Et encore cette transaction dépend-elle du maintien à Arcosur New Co de l'agrément préfectoral accordé à Arcosur… et d'une absence de veto par le tribunal de commerce d'un projet de transfert de parts à des salariés de l'entreprise.

Arcosur New Co est désormais la nouvelle vitrine de la SMS. Les deux associés à parts égales de cette SARL à capital variable de 30 000 euros sont Hugues Dupire et Didier Mons… deux personnalités que l'on n'a jamais croisées dans cette affaire.

Mais revenons à l'enquête elle-même. Le coup de filet du 17 janvier a fait une autre victime de taille : le leader nationaliste modéré Jean-Christophe Angelini a lui aussi été interpellé à Paris. Arrêté en pleine rue, l'élu est transféré à Porto-Vecchio pour une perquisition de son domicile. Un éclat qui ne passe pas inaperçu et suscite des mouvements de sympathie allant bien au-delà de sa famille politique ; c'est ainsi que Camille de Rocca Serra, président UMP de l'Assemblée de Corse, s'insurge : «Je m'interroge sur les conditions d'interpellation de Jean-Christophe Angelini, un élu territorial engagé dans la voie du dialogue et condamnant la violence. Sans pour autant m'immiscer dans une affaire de justice, j'estime que le fait de conduire un élu menotté dans les rues de Porto-Vecchio est disproportionné par rapport à ce qui pourrait éventuellement lui être reproché. Je réfute toute manœuvre politique, cette affaire ne servant personne[15]. » Et le 25 janvier, s'organise à l'Assemblée de Corse une réunion « sur les libertés » au cours de laquelle des élus de toutes tendances apportent publiquement leur soutien à Jean-Christophe Angelini.

Le mensuel *Corsica* analyse pour sa part cette affaire selon une grille politique nationale, comme un épisode de la « guerre des droites » :

« Depuis plusieurs mois, l'Élysée décline, comme un viatique corse, un seul *credo* – celui de la sécurité – et laisse les coudées franches à la ministre de l'Intérieur pour gérer la situation locale. Une liberté de manœuvre qui a toutes les chances d'apparaître comme un cadeau empoisonné : en multipliant les coups de filet pour de faibles résultats judiciaires, l'Intérieur n'agace pas seulement les nationalistes. En Corse, cette stratégie avouée du coup de force permanent commence aussi à inquiéter certains membres des forces de l'ordre. Le chef de l'État, qui n'a pas oublié que la chiraquienne Michèle Alliot-Marie est une rivale potentielle, attend-il paisiblement que la situation ne dérape pour reprendre les choses en main ? L'arrestation opportunément médiatisée de Jean-Christophe Angelini résonne-t-elle comme la réponse de la bergère au berger[16] ? » Résumée sous une forme interrogative, cette thèse peut paraître un peu lointaine. Car au final, J.-C. Angelini ne sort pas de cet épisode aussi

---

15. Cité par Antoine Albertini *in* « Déraison d'état ? », *Corsica*, février 2008.
16. Antoine Albertini, *ibid.*

«abîmé» qu'il aurait pu le craindre. En revanche, son arrestation a provoqué ce que les militaires ont coutume d'appeler une
«victime collatérale».

En effet, peu avant d'être interpellé, l'élu corse venait de
déjeuner avec... Bernard Squarcini, le patron de la DST, un des
hommes *a priori* les mieux renseignés de France. Angelini étant
sur écoutes, les policiers ne pouvaient ignorer son emploi du
temps au moment de l'interpeller. Il ne pouvait pas ignorer
donc qu'ils allaient «éclabousser» la «maison d'en face»... et
relancer ainsi un nouvel épisode de la guerre des polices.

V

Guerre des polices

Dans les heures et les jours qui suivent le coup de filet du 17 janvier, Bernard Squarcini ne décolère pas. L'interpellation de son convive le met dans une situation impossible à plusieurs titres. Il lui faut tout d'abord convaincre les proches d'Angelini, *via* son avocat, qu'il n'est pour rien dans l'arrestation de ce dernier, et qu'il ne s'agissait pas d'un coup monté. Une démarche paradoxale pour ce Corse de naissance, fin connaisseur des affaires insulaires. Il avait pris contact avec Angelini pour, explique-t-il, échanger analyses et informations sur la situation locale, devenue explosive après l'incendie de l'Assemblée de Corse. Certains journalistes se demandent d'ailleurs si ce déjeuner n'était pas plutôt consacré à des contacts discrets entre l'État et la frange «raisonnable» des nationalistes corses.

Deuxième motif d'irritation, Squarcini se sent humilié par l'attitude des policiers de l'OCRGDF (Office central pour la répression de la grande délinquance financière, dépendant de la DCPJ, Direction centrale de la police judiciaire) : on aurait voulu le «mouiller» qu'on ne s'y serait pas pris autrement. «Pure coïncidence», répond-on de l'autre côté. Il y avait urgence, compte tenu des développements de l'enquête. Selon *Le Monde*, «ce sérieux couac entre services de police a tout de même été évoqué entre Bernard Squarcini et Martine Monteil, directrice de la DCPJ, lors d'un voyage commun, quelques jours plus tard, en Chine, sur la sécurité des jeux Olympiques[1] ».

Troisième et dernière pomme de discorde, l'arrestation d'Éric-Marie de Ficquelmont met aussi Squarcini dans une situation délicate vis-à-vis de son collègue Frédéric Péchenard, directeur général de la Police nationale. C'est Squarcini qui a recommandé Nivaggioni à Ficquelmont pour un coup de main dans le dossier SNCM, à une époque où les ennuis de la SMS n'étaient pas encore publics. Aujourd'hui, le chef de la DST observe que, Place Beauvau, ses ennemis racontent qu'il a «embarqué le meilleur ami du big boss dans un merdier sans nom[2] ».

Le contexte est délicat pour Bernard Squarcini : il est en effet sur le point de prendre la direction de la future DCRI, qui va regrouper les RG et la DST à l'été 2008. Tout près du sommet, donc. Né en 1955 à Rabat, au Maroc, d'un père fonctionnaire de police corse et d'une mère sicilienne, il a passé tous ses étés, enfant, sur l'île de Beauté en compagnie d'un grand-père berger. Après des études de droit et de criminologie à l'université d'Aix-en-Provence, il fait le choix d'entrer dans la police. Il intègre les RG : première affectation à Brest (1981-1983), puis il est rapidement promu directeur adjoint des RG d'Ajaccio, en pleine floraison des mouvements nationalistes. Cinq ans plus tard le voilà directeur régional à Pau. En 1989, il rejoint la direction parisienne des RG et prend la direction de la section enquêtes et recherches. Le démantèlement, avec d'autres services, des

---

1. Isabelle Mandraud, «Le patron de la DST, Bernard Squarcini, mis dans l'embarras», *Le Monde*, 2 février 2008.
2. Citation rapportée par Ariane Chemin et Marie-France Etchegoin *in* «Ricochets Place-Beauvau», *Le Nouvel Observateur*, 4 décembre 2008.

réseaux islamistes responsables des attentats de 1995, sera son fait d'armes majeur. Plus jeune inspecteur général de la police au moment de sa nomination en 1999, « le Squale » (c'est son surnom) se forge une réputation de spécialiste de l'antiterrorisme. Il est pendant dix ans l'adjoint du patron des RG, le chiraquien Yves Bertrand. Sans s'adorer à l'excès, les deux hommes se savent complémentaires : à Bertrand le politico-financier, à lui l'antiterrorisme et les relations avec les magistrats.

Après avoir été considéré un temps comme « pasquaïen », Squarcini se rapproche de Nicolas Sarkozy, devenu ministre de l'Intérieur en 2002. Il sait se faire remarquer, lors des déplacements en Corse du ministre, par sa connaissance de la région et la finesse de ses analyses, explique Claude Guéant[3]. Un lien privilégié qui lui coûtera la place de numéro un des RG : en 2004, au moment de choisir un remplaçant à Yves Bertrand, l'Élysée lui préfère un autre candidat. Est-ce une coïncidence ? Peu avant, son nom est apparu sur certains listings dans l'affaire Clearstream. Squarcini apprécie modérément et dépose plainte. Il est nommé la même année préfet délégué à Marseille. Une expérience de terrain pendant laquelle il aura notamment l'occasion de gérer l'épineux dossier de la SNCM et de donner son aval aux activités de la SMS dans les Bouches-du-Rhône, parce que c'était la meilleure entreprise selon lui. Tout en gardant le contact avec l'équipe Sarkozy.

Arrive la campagne présidentielle et la fin de l'exil : à 51 ans, il est nommé à la tête de la DST qui dépend de l'Intérieur où Sarkozy est de retour. Lors de la campagne présidentielle, il est de son propre aveu l'un de ceux qui ont été « chargés d'anticiper et de

---

3. Cité par Piotr Smolar, *in* « Squarcini, l'agent du président », *Le Monde*, 28 juin 2007.

détecter les coups dans l'opération "Tout sauf Sarko". Il y avait un cercle de confiance, une nébuleuse constituée autour de Claude Guéant pour le défendre dans cette traque[4]». Désormais, voici Squarcini étiqueté «homme de Sarko». Il ne rejette pas ce label, bien au contraire, allant jusqu'à proclamer : «Si le président me demande un jour de refaire la tapisserie du fort de Brégançon, je le ferai[5]!» Pourtant, devant certains proches, le président s'étonne de cette réputation : «Je ne comprends pas pourquoi on écrit partout que Squarcini est un de mes hommes de confiance. C'est un homme de Guéant, ce n'est pas tout à fait la même chose…»

En bref, dans les milieux où il évolue, les coups tordus, Bernard Squarcini connaît. Et il n'a pas l'habitude de se laisser faire sans réagir!

Soupçons

Mais du côté de la PJ d'Ajaccio, l'agacement est, lui aussi, à son comble. Et, surtout, on soupçonne fortement les RG, ou tout au moins certains «éléments» des RG, de mettre des bâtons dans les roues de l'enquête. La fuite d'Antoine Nivaggioni n'a certes rien d'étonnant : l'homme s'est rompu à toutes les techniques de la clandestinité pendant ses «années MPA» : d'une certaine manière, l'école nationaliste vaut bien une formation d'espion. Mais un fuyard entré dans la clandestinité ne se montre pas à Ajaccio! Il ne raccompagne pas sa maîtresse chez elle à moto! Il ne va pas dans un club de sport! Or, Antoine

---

4. Piotr Smolar, *op. cit.*
5. Cité par Olivier Toscer, *in* «Bernard Squarcini : "le squale"», *Le Nouvel observateur*, 20 novembre 2008.

Nivaggioni fait tout cela et plus encore. Pétri de sollicitude, il prend même son téléphone pour appeler Christian Sainte, le patron de la PJ sur l'île : « Ne vous inquiétez pas, je me rendrai en temps utile », le rassure-t-il. En bref, il se fiche du monde ! Et surtout il paraît très sûr de sa bonne étoile… ou de ses protections ?

Les hommes de la PJ sont donc quelque peu à cran, sachant que la rumeur donne Nivaggioni pour un ami d'Éric Battesti, le directeur régional des RG. Crâne rasé et silhouette athlétique, Battesti est un des hommes les mieux informés de l'île. Passé par la prestigieuse SORS (Section opérationnelle de recherche et de surveillance[6]) de la rue des Saussaies, il a aussi joué un rôle important dans la traque d'Yvan Colonna, recueillant et transmettant à son patron de l'époque, Bernard Squarcini, le tuyau d'un « indic » qui devait permettre de localiser le berger de Cargèse. Son poste à la tête des RG de l'île est considéré comme stratégique : il a la charge de recueillir des informations sensibles à la fois sur les gangs et voyous locaux, mais aussi sur les factions nationalistes susceptibles d'avoir recours à la violence. Bref, il est là pour s'informer, et donc pour être en contact avec un tas de gens dans l'île. Un travail qui lui permet en principe d'orienter les recherches de la PJ dans les bonnes directions.

La rivalité PJ / RG existe depuis toujours. Les deux institutions ont par fonction des priorités différentes. La PJ lutte contre le crime, les RG sont là pour faire « du renseignement », pour « aller au contact » de gens qui ne sont pas forcément des enfants de chœur. Alors, bien sûr, le soupçon a toujours existé que les collègues des RG usent de méthodes par trop « limites »

---

6. Devenue depuis la SNRO (Section nationale de recherches opérationnelles).

et ne sortent de leurs missions pour se transformer en police politique du pouvoir. Mais en Corse, l'opposition prend une dimension supplémentaire. Les années 1990 ont été témoin dans l'île d'une guerre impitoyable qui culmina au moment de l'enquête sur l'assassinat du préfet Érignac[7]. À cette époque, la cellule antiterroriste de Roger Marion et les RG de Bernard Squarcini travaillaient chacun dans leur coin. Sans compter que le préfet Bonnet constituait sa propre équipe, et que Marion s'affrontait avec le patron de la PJ locale, Demetrius Dragacci ! Un vrai pastis qui n'a pas aidé à identifier et appréhender rapidement les meurtriers du préfet. Et voici que l'on remet le couvert, avec à la clé des conséquences graves.

Entre Battesti, aux RG, et Christian Sainte, le patron de la PJ locale, les relations ne sont pas au beau fixe. Mais c'est surtout entre l'adjoint de Sainte et Battesti que les couteaux sont tirés. Nommé à l'été 2006 directeur adjoint de la PJ, le commissaire adjoint Robert Saby est surnommé « Bébel » en raison de quelques points communs avec les rôles de commissaires anticonformistes interprétés par Jean-Paul Belmondo dans les années 1970 et 1980. *Peur sur la ville*, *Flic ou voyou* ou encore *Le Marginal* ont marqué la culture populaire des Français et continuent à vivre grâce aux rediffusions télévisées. Saby a les mêmes blousons de cuir et la même poigne que son modèle. Comme lui, il a une réputation d'homme d'action, intègre et courageux, parfois sanguin et cassant, jusqu'à irriter à l'occasion ses subordonnés par son culte de la police républicaine, « service-service ». Dans ses précédents postes, Saby a notamment

---

7. Cf. Frédéric Charpier et Antoine Albertini, *Les Dessous de l'affaire Colonna*, Presses de la cité, 2007.

dirigé l'enquête sur la catastrophe de l'usine AZF à Toulouse en septembre 2001. Depuis son arrivée, il s'est heurté à la gendarmerie, qui l'accuse d'avoir commis un véritable «parasitage d'enquête». En 2007, les gendarmes enquêtent depuis huit mois sur un vaste réseau de trafic de stupéfiants quand ils voient débarquer les hommes de la PJ, alertés par un informateur sur la présence d'un laboratoire d'ecstasy dans le sud de l'île. Malgré leur antériorité et le travail accompli dans cette affaire, les gendarmes vont se voir retirer le dossier. Et ils auront beaucoup de mal à l'avaler.

En charge de l'enquête sur la SMS, Saby est en tout cas très motivé par le dossier, dont il supervise quotidiennement l'avancée. Et il est persuadé que si son objectif numéro un, Antoine Nivaggioni, lui échappe encore, c'est qu'«on» lui donne un sérieux coup de main. Il n'est pas le seul à le penser dans l'île. À l'été 2006, alors que l'enquête sur la SMS commençait tout juste, un tract anonyme était placé sur les pare-brise des voitures en plein centre-ville d'Ajaccio, portant pour titre:

«La justice coloniale et ses valets tombent les masques.»

Le ton est donné d'entrée de jeu: l'auteur se situe – ou veut qu'on le situe – dans la mouvance nationaliste. Il évoque d'abord le verdict d'acquittement rendu le 21 mars 2006 dans l'affaire Castela-Andriuzzi, deux professeurs, supposés commanditaires de l'assassinat du préfet Claude Érignac le 6 février 1998 et qui ont passé sept années en prison avant de voir reconnue leur innocence. Un sujet sensible et qui provoque l'indignation d'une grande partie de la population. Mais cette entrée en matière, sur un sujet qui mobilise alors dans l'île, n'est pas le véritable objet du tract, qui arrive plus loin: «L'affaire Érignac et le procès Castela-Andriuzzi ont démontré une nouvelle fois que l'État français a renoué avec les méthodes barbouzardes […]. Les principaux acteurs de cette parodie d'enquête sont des policiers carriéristes, zélés et sans scrupules : SQUARCINI, BATTESTI ET LEURS SBIRES. »

En parlant de « méthodes barbouzardes », l'auteur fait allusion à des groupes qui, dès les années 1970, ont répondu à la violence nationaliste par d'autres attentats, pour le compte du SAC, murmure-t-on. De même, à en croire certains indépendantistes, que la « Corse française et républicaine », mouvement fondé en 1984, aurait servi de couverture à des opérations « coups de poing » contre le FLNC. L'auteur concentre ensuite ses attaques contre un « affranchi » : « un homme d'affaires au passé trouble, second couteau du FLNC MPA, ce nationaliste est arrêté au début 90 en flagrant délit pour l'assassinat d'un gérant de boîte de nuit, libéré 6 mois après les faits et jugé 8 ans plus tard !!!! il est bien évidemment acquitté… À sa sortie, il prend la tête d'une société avec un quarteron d'anciens complices […] Il informe régulièrement ses amis policiers et voyous pourvu qu'il y trouve son intérêt !!! […] ANTOINE NIVAGGIONI est aujourd'hui un personnage incontournable, mais surtout il est devenu le grand ami de SQUARCINI […]. »

Voilà ce qui s'appelle un texte diffamatoire, pour Nivaggioni qui est ici désigné comme affairiste et, encore plus grave, comme un « indic », une « balance » des RG. Mais aussi pour Bernard Squarcini, en poste à Marseille mais que l'on accuse à la fois de collusion avec les « natios » affairistes et de menées « barbouzardes »…, alors que le SAC est dissous depuis 1982. Quoi qu'il en soit des soupçons que peut entretenir Saby à l'égard de la mouvance RG, ceux-ci vont bientôt être étayés par des éléments plus substantiels.

Le 7 mars 2007, un téléphone retentit dans un bureau de la rue des Saussaies, au siège de la DCRG. Le brigadier Christian Orsatelli décroche aussitôt.

« Bonjour mon ami, il fait beau à Paris ? […] Regarde, je vais te donner un numéro, tu regardes ? C'est le 06… […] Ça serait bien qu'on ait la réponse vite. »

L'interlocuteur du fonctionnaire de police – en l'occurrence chargé du séparatisme corse – n'est pas un collègue de la « maison » en quête d'un renseignement. Ni même d'une autre maison. Il s'agit, et les écoutes effectuées par la PJ d'Ajaccio ne laissent aucun doute à ce sujet, d'Antoine Nivaggioni lui-même ! Lequel demande à son « ami » au sein des RG de vérifier si la PJ a mis sur écoutes le numéro qu'il vient d'indiquer.

Ce genre de conversation n'est pas exceptionnel entre les deux hommes. Ainsi, quelques semaines plus tard, les ennuis d'Antoine Nivaggioni se précisent. Le 28 mars 2007, en pleine perquisition des locaux de la SMS par l'Office central de répression de la grande délinquance financière, Nivaggioni appelle le portable de la directrice des ressources humaines de la chambre de commerce et d'industrie où, comme on l'a vu, il compte de nombreux amis. Par un étonnant hasard, Orsatelli se trouve justement en compagnie de cette dernière, qui lui passe le combiné :

« Orsatelli : Allô ?

Nivaggioni : Oui.

Orsatelli : Oui.

Nivaggioni : Qui c'est qui avait raison ?

Orsatelli : Hum, hum, t'es où ?

Nivaggioni : *(rires)* Au bureau.

Orsatelli : Ah, d'accord. Hum, hum, attends, quitte pas […] Allô ? Ouais, et ils te laissent téléphoner ?

Nivaggioni : Eh oui ! Attends, je ne suis pas en garde à vue !

Orsatelli : Ah, d'accord…

Nivaggioni : Ils perquisitionnent les bureaux, ils en ont pour 4 à 5 heures du matin [*sic*], Office central de la grande délinquance financière.

Orsatelli : De Paris ?

Nivaggioni : Ouais, Paris, ouais…

Orsatelli : Hum, hum, bon d'accord, hum, hum… Et toi, tu as combien de temps ?

Nivaggioni : Je sais pas du tout […] Je sais pas du tout pour l'instant ils m'ont dit qu'ils perquisitionnaient et ils ont été…

Orsatelli : Ils ont été vite, ils ont vite fait cet après-midi… Tu as quel téléphone, toi, là ?

Nivaggioni : Le normal.

Orsatelli : Hum, hum… Ouais, ils ont fait vite, hein, putain[8] ! »

Cette conversation ne comporte rien de très substantiel, mais elle confirme aux enquêteurs la proximité des deux hommes – Nivaggioni appelle Orsatelli *avant* même de joindre son avocat – et la très bonne connaissance par le fonctionnaire des RG de la situation de l'enquête sur la SMS. Corse de naissance, familier des affaires corses, Christian Orsatelli est un des experts, sinon l'expert, aux RG sur les mouvements nationalistes. En

---

8. Procès-verbal de transcription de communication téléphonique. COM n° 31 – PV n° 2007/158 DRPJ – GIR AJACCIO – Pièce n° 06/04 – Feuillets 1 et 2.

2003, il a été fait chevalier de l'ordre de la Légion d'honneur par Bernard Squarcini, en récompense de «vingt-quatre années de service civil et militaire». Même si son mentor a quitté les RG, on les dit encore proches.

Sitôt achevé son entretien avec Orsatelli, Antoine passe un deuxième appel… à son avocat? Toujours pas! Il contacte son vieil ami Alain Orsoni, l'ex-chef du FLNC-Canal habituel reconverti dans les affaires:

«Orsoni: Tu peux m'appeler à mon bureau dans une demi-heure? Même pas…

Nivaggioni: Je peux pas t'appeler, je suis avec les condés [les policiers].

Orsoni: Il y a les condés?!

[…]

Orsoni: *(en corse)* Ils t'ont arrêté?

Nivaggioni: *(en corse)* Oui.

Orsoni: Ah, bon, bon, bon… *(en corse)* Qu'est-ce qu'il y a, pour?

Nivaggioni: *(en corse)* Je ne sais pas. *(en français)* Office central de répression de la grande délinquance financière. Ils viennent de Paris. *(en corse)* Ils sont une soixantaine…

Orsoni: C'est nos amis qui sont intervenus?

Nivaggioni: *(en corse)* Doucement, ne parle pas[9]!»

«Nos amis»? Compte tenu du contexte, Orsoni n'ignore sans doute pas que cette conversation est écoutée. Il est donc probable qu'il commence à envoyer un message. Et trois heures et demie après ce premier échange, en fin de soirée, il va se mon-

---

9. Procès-verbal de transcription de communication téléphonique. COM n° 23 – PV n° 2007/158 DRPJ – GIR AJACCIO – Pièce n° 06/03 – Feuillets 1 et 2.

trer encore plus explicite, dans un dialogue à réserver aux lecteurs les plus avertis :

« Orsoni : *(en corse)* Oh là, ces enculés, là, *(en français)* mais qu'est-ce qu'ils cherchent, ces trous du cul, là.

Nivaggioni : *(rires)* Moi, je ne sais pas mais eux, ils le savent…

Orsoni *(rires)*

Nivaggioni *(rires)*

[…]

Orsoni : *(en corse)* Je vais t'expliquer une affaire : tu n'es pas tranquille, tu ne peux pas parler, tu ne peux pas appeler…

Nivaggioni : Non, non *(en corse)* Je ne peux pas t'appeler, je t'appellerai après.

Orsoni : *(en corse)* Si tu peux m'appeler, je te donnerai le numéro… Je vais t'expliquer ce que je vais faire, s'ils me cassent les poches, je vais t'expliquer… Je me suis jamais mis à table…

Nivaggioni : *(en corse)* Arrête, arrête…

Orsoni : *(en corse)* Je ne me suis jamais mis à table, alors écoute-moi…

Nivaggioni : Arrête, arrête…

Orsoni : On est en pleine campagne électorale, écoute-moi, *Le Canard enchaîné*, il va faire la « une », je te le jure, pendant une semaine ! Tu vas voir ! Qu'ils nous cassent les couilles, encore, tu vas voir si *Le Canard enchaîné* il va pas faire la une… Y a des candidats qui vont se manger les couilles, je te le dis, moi ! Tu rigoles ou quoi ? On sera toujours les tapettes de l'histoire ?! Ils nous mettront toujours le doigt au cul quand ça leur fait envie, quand ils ont rien à faire ? Non, tu vois pas !

[…]

Nivaggioni : Non, mais enfin, l'éternel problème…

Orsoni : Antoine, écoute-moi bien…

Nivaggioni : je ne pense pas qu'ils déplacent un régiment comme ça en Corse… Ils sont descendus les "choses" [*sic*]…

Orsoni : Le régiment qu'ils ont déplacé, c'est une opération montée de longue date, pas depuis lundi… Tu vois ce que je veux dire…

Nivaggioni : C'est clair…

Orsoni : De longue date… Tu vois pas, tous ces gens qui se prétendaient être un moment donné soi-disant… bon… compréhensifs… Je te dis une chose, Antoine, malheureusement ils ont pas monté tout ça pour que ça se termine en eau de boudin… Ils ont leur fil, d'accord ? Alors écoute bien ce que je te dis, *Le Canard enchaîné, Le Monde, Libération,* ils vont faire la une… Et avant l'élection présidentielle, je te le dis moi ! Il va y avoir les horaires des repas, les restaurants, les lieux, les personnes présentes et le reste, ça je te le dis ! Et j'en prendrai la responsabilité moi tout seul, voilà ! Et ils feront comme ils veulent ! Un trou au cul, ils peuvent pas m'en faire un autre, à moi, de toute façon… Je vois pas ce qu'ils peuvent me faire, j'ai rien fait, je m'en fous, voilà, mais je te garantis qu'ils vont le payer, ça ! Je te le dis, moi[10] ! »

Même en mettant de côté le style très fleuri d'Alain Orsoni, il y a là de quoi être ébahi par ce qui ressemble bien à des menaces. Qui sont ces candidats menacés par les révélations que l'ex-leader du MPA pourrait faire sur des personnes «soi-disant compréhensives à un moment donné» ?

Pour le comprendre, il faut peut-être poursuivre la lecture du lourd dossier accumulé par la PJ ajaccienne sur ses collègues. En

---

10. Procès-verbal de transcription de communication téléphonique. COM n° 51 – PV n° 2007/158 DRPJ – GIR AJACCIO – Pièce n° 06/05 – Feuillet n° 3.

effet, dans les semaines précédant les perquisitions de mars 2007, les hommes de Robert Saby se sont plaints d'« ingérences » répétées : « conseils amicaux », demandes informelles d'informations sur la procédure en cours. À tel point que le commissaire Saby donne instruction de consigner ces interventions sur procès-verbal, ce qui en dit long sur l'ambiance qui règne alors.

Le 16 mars 2007, dix jours avant les fameuses perquisitions, le commissaire rédige lui-même un de ces PV : « Sommes informé ce jour par le chef du GIR de Corse [suit le nom du fonctionnaire] de ce que le Directeur régional des renseignements généraux d'Ajaccio, Éric Battesti, l'a appelé à deux reprises sur son téléphone portable professionnel [suit le numéro en question] entre 12 heures 15 et 12 heures 20 ce jour pour lui demander si la ligne téléphonique attribuée à [suit le nom d'une personne mise en cause dans le cadre de l'enquête sur la SMS] faisait l'objet d'une surveillance. Le chef du GIR de Corse répondait par la négative et Éric Battesti de lui confirmer cette surveillance en lui indiquant le nom du fonctionnaire de son service ayant fait la réquisition à SFR […] Soumis à son devoir de confidentialité, le chef du GIR de Corse a été dans l'obligation de nier l'existence de cette surveillance[11]. »

Dans les jours qui suivent, les RG vont se montrer de plus en plus insistants auprès de leurs collègues de la PJ. Le 19 mars, un brigadier-chef rédige un nouveau PV « sur les instructions de Robert Saby » pour relater la démarche de Christian Orsatelli : « Il nous dit, que [suit le nom d'une personne mise en cause

---

11. Procès-verbal n° 2007/58/20 établi par le commissaire principal Robert Saby, adjoint au directeur de la DRPJ d'Ajaccio, le 16 mars 2007 à 12 heures 30.

dans l'enquête sur la SMS] est placé sur écoutes par nos soins et que leur service souhaitait également placer son téléphone sur surveillance suite à un renseignement anonyme. » Un renseignement reçu très opportunément…

Le lendemain, Orsatelli rappelle le brigadier et lui confirme que le numéro en question est bien écouté « depuis le 15 février ». Comment son collègue dont le nom paraphe la demande de mise sur écoutes pourrait-il l'ignorer ? Le brigadier temporise, promet de vérifier et de rappeler Orsatelli. Il n'en aura pas le temps, Orsatelli le rappelle dans l'après-midi, perdant patience : « On a Antoine Nivaggioni, et par les fadets [acronyme abréviation de « factures détaillées »] d'Antoine, on a un numéro qui apparaît et on a su que ce numéro était branché par toi[12]… »

Coincé, le brigadier est obligé de démentir contre toute évidence. Si ces écoutes sont connues, toute l'enquête peut capoter. Le même jour, en fin d'après-midi, nouvel appel d'Orsatelli pour obtenir réponse à ses questions. Pour justifier sa persévérance, il laisse échapper qu'il n'a « pas confiance en Christian Sainte », le patron de la PJ !

Ces démarches répétées sont pour le moins troublantes. Quel est l'intérêt des RG à se mêler d'une affaire de délits financiers ? Certes, Nivaggioni est une « source », sans doute précieuse, d'informations pour Orsatelli, mais cela lui donne-t-il le droit d'échapper aux lois de son pays ? La synthèse des écoutes téléphoniques d'Antoine Nivaggioni révèle des relations qui semblent excéder celles habituellement admises entre informa-

---

12. PV établi par le brigadier-chef de police V.-C., en fonction au GIR de Corse, n° 2007/58.

teur et policier. Le procès-verbal n° 2006/716 établi par le GIR d'Ajaccio énumère les centaines de communications passées depuis le téléphone portable d'Antoine Nivaggioni du début janvier au 12 juin 2006. Outre les coups de fil d'ordre privé et professionnel à d'autres numéros attribués à la SMS, on remarque surtout 341 conversations avec un portable «de service» appartenant à la Direction centrale des renseignements généraux. 341 appels en un peu moins de six mois, cela fait plus de *deux appels par jour...* Et l'intensité des échanges n'a pas faibli depuis. Le 11 janvier 2007, appel d'Antoine Nivaggioni qui cherche à vérifier un numéro d'immatriculation :

Nivaggioni : «Oh, c'est moi. J'te dérange pas? [...] Tu peux me taper un numéro? [...] Tu me fais un rapport immédiatement?»

Coup de fil en retour quelques minutes plus tard :

Orsatelli : «C'est un bougnoule, avenue Noël Franchini». Et le fonctionnaire confie le nom complet, l'adresse du «bougnoule» et même le modèle et la marque de la voiture!

Dans les semaines qui suivent, le brigadier des RG ne peut ignorer que le filet de l'enquête se resserre autour d'Antoine Nivaggioni. Cela ne semble pas le perturber et c'est tout naturellement qu'il livre à sa «source» de précieuses informations accessibles uniquement aux forces de l'ordre. Des informations qui peuvent avoir des répercussions graves sur d'autres procédures en cours. Le 22 mars 2007, utilisant le téléphone portable de sa compagne, également placée sous surveillance, Antoine Nivaggioni demande à son bienfaiteur si un certain militant nationaliste a bien été placé en garde à vue à la Direction nationale antiterroriste, ce qui est le cas. Nivaggioni veut alors savoir si le militant en question est «accroché». Traduction : les policiers ont-ils des charges sérieuses à son encontre ? Plus serviable que jamais, Orsatelli répond non, l'intéressé n'a rien à craindre, à moins qu'il n'avoue « certaines choses ». Un conseil qui pourrait s'avérer très précieux si d'aventure il parvenait jusqu'à cet ami de Nivaggioni[13]…

À la lecture d'un tel dossier, on comprend un peu mieux la méfiance, pour ne pas dire la franche hostilité, qu'éprouve l'équipe de la PJ envers certains éléments des RG. Et l'on comprend aussi pourquoi l'arrestation d'Angelini, Ficquelmont et consorts a été soigneusement dissimulée à la DCRI. Mais ceci ne diminue en rien la rancœur de Bernard Squarcini… qui n'est pas le seul à avoir dans son collimateur les « cow-boys » de la PJ d'Ajaccio.

---

13. Communication n° 2188 du 16 mars 2007, retranscription annexée au procès-verbal de synthèse n° 2007/44DRPJ établi par le GIR de Corse le 17 avril 2007.

VI

Nettoyage à sec

Rien de tel qu'un bon orage pour éclaircir une atmosphère chargée. Mais pour les hommes de la PJ, qui estiment avoir constitué un dossier substantiel, tant sur les manœuvres frauduleuses de la SMS que sur les liaisons dangereuses RG-Nivaggioni, la foudre ne va pas tomber là où on l'attend. Il faut lire attentivement la presse pour suivre la partie.

Le 9 octobre 2008, *Le Nouvel Observateur* publie une brève interview du patron de la DCRI, Bernard Squarcini, d'ordinaire plutôt avare de ce genre d'exercice. Titré « Squarcini veut porter plainte », l'entretien est notamment consacré à un nouveau tract anonyme diffusé le 2 octobre à Ajaccio, qui évoque à nouveau des « officines barbouzardes », des « indics » anciens nationalistes et qui stigmatise des policiers, dont Squarcini. Lequel analyse ainsi son contenu : « Le tract est posté de Bastia mais il vient sans doute du Sud ajaccien. On peut y voir des règlements de comptes entre nationalistes. Mais dans ce galimatias, on reconnaît surtout un certain jargon policier. » « Un certain jargon policier » : le sous-entendu est lourd de sens. Des hommes de la PJ ajaccienne se compromettraient en diffusant dans l'île des tracts incendiaires, susceptibles d'attiser des antagonismes, de déclencher des règlements de comptes sanglants et de nuire à leurs collègues des RG ? Si un tel fait était avéré, ce serait un scandale dévastateur. Une affaire d'État, comparable à celle de la paillote illégale *Chez Francis*, incendiée sur ordre du préfet Bernard

Bonnet »! On aimerait donc que le patron de la DCRI, l'un des hommes les mieux informés de France, précise sa pensée. Mais, contacté à plusieurs reprises par *Corsica* à la suite de cette interview, Bernard Squarcini fait savoir qu'il se refusera désormais au moindre commentaire « en raison de l'instruction en cours[1] ». Dommage…

Le 15 septembre 2008, Alain Orsoni, le grand ami d'Antoine Nivaggioni, organise une conférence de presse dans les locaux de son club, l'ACA. Et il est visiblement très remonté. On s'en souvient, après l'assassinat d'Ange-Marie Michelosi le 8 juillet de la même année, les policiers ont détecté fin août une équipe suspecte, préparant un mauvais coup à proximité du stade d'Ajaccio : sans doute l'assassinat d'Orsoni lui-même. En effet, le clan Michelosi crie vengeance après la mort d'Ange-Marie et semble persuadé qu'Orsoni, de retour dans l'île depuis le début de l'année, n'y est pas étranger. Un coup de filet le 5 septembre a permis de « ramasser » plusieurs membres du commando, en possession d'un respectable arsenal. C'est le commissaire Saby qui en informe Alain Orsoni dans les bureaux de la PJ le 7 septembre, tout en reconnaissant sa frustration car l'affaire, selon lui, est mal engagée : de fait la police devra relâcher le commando, faute d'aveux et de preuves sur l'intention d'assassiner Orsoni. Une situation qui met hors de lui le nouveau boss de l'ACA. Si réellement les suspects appréhendés en possession d'armes à feu projetaient de l'assassiner, pourquoi les libérer sans retenir de charges contre eux ?

1. Antoine Albertini, « Affaire SMS : la police occulte », *Corsica*, décembre 2008.

Pour Orsoni, les choses sont claires, il s'agit d'une énième manipulation policière visant à le faire «dézinguer» : «Je pose la question : s'il est vrai que certains ont voulu me tuer, qu'ils ont été filés et surveillés, ce qui implique des PV de filatures ; s'il est vrai que l'on a trouvé des armes, des munitions, des gants en latex et que l'on a identifié ces personnes dans une voiture volée, comment explique-t-on que personne, absolument personne, n'ait été mis en examen ? [...] Je suis en possession d'informations assez stupéfiantes qui me font penser que certains policiers, pour des raisons qui m'échappent, jouent un jeu dangereux. Que dire de [suit le nom d'un fonctionnaire de police de la PJ ajaccienne] qui, depuis plusieurs mois, a déclaré auprès de plusieurs témoins qu'il en avait marre de ramasser les cadavres qu'Alain Orsoni laissait derrière lui[2] ? »

L'attaque est rude, et surtout très grave. Très en colère, Alain Orsoni accuse nommément plusieurs fonctionnaires de police, dont le commissaire Robert Saby. Ce dernier serait le cerveau d'une intoxication, à l'origine d'une rumeur selon laquelle Orsoni est mêlé à plusieurs règlements de comptes qui agitent la Corse depuis un an. L'un de ses hommes, le brigadier-chef C., serait lui aussi très actif dans la propagation de rumeurs malsaines. Sollicitée par la presse, la DRPJ fait immédiatement savoir qu'elle ne «s'exprimera pas sur le sujet». Le nouveau coordinateur des services de sécurité en Corse, Gilles Leclair[3], répond simplement : «Ces accusations n'engagent que celui qui

---

2. Texte de la conférence de presse organisée par Alain Orsoni dans les locaux de l'ACA, le 15 septembre 2008.
3. Nommé en remplacement de Dominique Rossi, lequel a été sanctionné sur ordre de Nicolas Sarkozy pour n'avoir pas su éviter l'invasion de la villa corse de Christian Clavier par des nationalistes.

les prononce. Si le fonctionnaire se sent diffamé et qu'il souhaite porter plainte, il aura tout le soutien de l'administration. Le ministère de l'Intérieur se réserve d'ailleurs le droit de porter plainte à son tour.» Mais, bizarrement, ni Robert Saby ni le ministère de l'Intérieur n'exerceront le moindre recours en justice. Et, avant même que l'affaire ait le temps de se tasser, arrive une nouvelle salve: l'ami Antoine donne de ses nouvelles.

En fuite depuis novembre 2007, Antoine Nivaggioni fête sa première année de cavale de manière aussi inattendue qu'originale: en accordant une interview au magazine *Corsica*[4]! Très à son aise, le fugitif se dit prêt à coopérer avec la justice «lorsque les conditions seront réunies». Il justifie sa clandestinité par la démesure et l'acharnement des moyens policiers mis en œuvre contre lui:

«Pour comprendre ma réaction, il faut rappeler les circonstances dans lesquelles cette enquête a démarré. Le 30 mars 2007, deux avions militaires affrétés au départ de Paris débarquent à Ajaccio. Une soixantaine d'inspecteurs procèdent à plus d'une vingtaine de perquisitions... Pour les seuls locaux de la SMS (120 m²), une cinquantaine de policiers vont mettre tout sens dessus dessous de 17 heures, le soir, à 8 h 30, le lendemain matin. Soit quinze heures de perquisition. Il nous faudra d'ailleurs quinze jours pour remettre les locaux en état.» Et l'homme d'affaires de poursuivre:

«Le 30 juillet, deuxième opération choc. Les commandos de l'Office central de répression de la grande délinquance finan-

---

4. Toutes les citations qui suivent sont extraites de «L'interview d'Antoine Nivaggioni», *Corsica*, novembre 2008.

cière occupent les locaux de l'entreprise pendant deux jours. Jusqu'au 22 novembre, dans le cadre de son enquête, la police effectue un nombre important de perquisitions : cercle familial, amis, relations professionnelles… Nul n'échappe à la sagacité policière qui n'hésite pas à employer les grands moyens. Au total, et jusqu'à aujourd'hui, on compte environ cent vingt perquisitions, des portes défoncées à l'explosif, des gardes à vue de personnes âgées, une pression psychologique incroyable à l'encontre des témoins. Face à la disproportion des moyens employés dans le cadre d'une enquête financière, je dois dire que j'ai eu peur. Dans de telles conditions, j'ai du mal à imaginer une justice sereine à mon encontre… »

Balayant d'un revers de main les accusations de « marchés truqués » et de « détournements », Nivaggioni affirme que le dossier va se dégonfler au procès : non, il n'a pas bénéficié de marchés truqués ; non, il n'a pas détourné d'argent. Quant aux sommes et frais de mission encaissés, il rappelle qu'il était « le personnage central de la SMS », qu'il a rempli des objectifs de développement très ambitieux et que les sommes versées étaient cohérentes avec ce statut. Ensuite, Nivaggioni réfute l'accusation de « protection » par certains fonctionnaires des Renseignements généraux : selon lui, il est normal que le patron d'une société de sécurité soit en contact régulier avec les RG : ce sont eux qui « gèrent les problèmes d'agrément relatifs aux embauches dans le domaine de la sécurité » et d'autre part ils sont en charge des problèmes de sécurité « dans le cadre des grands groupes économiques avec lesquels nous [la SMS] avons à traiter. » Nivaggioni n'explique pas, en revanche, comment ses obligations professionnelles auraient pu l'amener à avoir comme « officier traitant » un spécialiste du séparatisme corse plutôt qu'un responsable en charge de ces fameux «grands groupes économiques». Pas plus qu'il ne précise pourquoi les RG auraient eu intérêt à suivre si attentivement les progrès de l'enquête de la PJ sur la SMS.

Mais le meilleur reste à venir. Interrogé sur les liens entre lui-même, Bernard Squarcini et Jean-Christophe Angelini, Nivaggioni répond :

«Je note que cette question reprend une obsession manifestée à maintes reprises par un commissaire de la direction de la police judiciaire d'Ajaccio. J'en veux pour preuve les mises en garde qu'il m'a fait adresser par plusieurs témoins entendus par lui : "Dites à Nivaggioni qu'il vaut mieux qu'il se rende à moi maintenant car Squarcini est un manipulateur parfaitement capable de le faire assassiner." Le moins que l'on puisse dire, c'est qu'il règne une saine ambiance dans la police nationale. Quant au policier d'Ajaccio qui fait circuler ces rumeurs, il est affectueusement surnommé "Bébel" par ses collègues. Sans que l'on sache à quel film ils font allusion : *Le Guignolo* ou *Borsalino* ? Quant à savoir si Bernard Squarcini me couvre, vous rappelez vous-même qu'il est à la fois le patron des RG et de la DST. Force est de constater qu'il ferait en l'occurrence preuve d'une grande inefficacité. Plus sérieusement, je veux dénoncer le jeu extrêmement dangereux qui semble être en vigueur en Corse aujourd'hui. Quand, de manière systématique, un responsable de la police judiciaire m'accuse de tous les maux que connaît la Corse, faisant de moi tout à la fois un indicateur de police, un assassin, un affairiste, un parrain… que sais-je encore… je ne peux m'empêcher de penser que ce type de méthode n'est pas nouveau et qu'il a toujours conduit au drame.»

Évoquant enfin l'affaire du nouveau «tract», Nivaggioni conclut: «On assiste depuis des mois à une véritable guerre des polices et, pour schématiser, je dirais qu'elle oppose certains policiers que j'ai déjà mis en cause à d'autres qui eux se contentent de faire leur travail.» Et il se dit, pour finir, «fermement décidé à [se] présenter devant la justice dans un climat apaisé». L'interviewé ne précise pas quelles seraient les conditions nécessaires à l'apaisement du climat: peut-être les semaines qui suivent vont-elles permettre de s'en faire une idée…

Le mois de novembre est celui de tous les bouleversements à la PJ d'Ajaccio. Tout d'abord, et cela confirme une rumeur qui courait depuis quelques semaines, le directeur de la PJ en Corse Christian Sainte est atteint par une très opportune – mais bien réelle – limite de durée de service. Il est nommé directeur de la sous-direction antiterroriste (SDAT) à compter du 1er décembre 2008. Un poste que l'on peut sans conteste considérer comme prestigieux. Plus embêtant, à la mi-novembre, le brigadier C. qui avait été accusé par Alain Orsoni dans sa conférence de presse, est entendu dans le cadre d'une affaire de consommation de cannabis pour laquelle il n'avait jamais été inquiété et qui date de dix-huit mois avant sa prise de fonction en Corse. Il doit plier bagages et quitter l'île *sine die*. Apparemment, sa hiérarchie ne goûte guère les joies de la relaxation par les plantes.

Last but not least, le commissaire Saby, pour sa part, a le bonheur d'apprendre qu'il est promu à compter du 1er décembre à la direction des courses et jeux en métropole. Selon une rumeur qui court dans les couloirs du commissariat d'Ajaccio, l'annonce de cette mutation aurait suivi de près une rencontre particulièrement orageuse entre Robert Saby et Bernard Squarcini dans le bureau de ce dernier à la tête de la DCRI, à Levallois-Perret. Une information impossible à vérifier puisque les deux hommes refusent désormais de s'exprimer sur le sujet. Petite ironie de l'histoire et maigre consolation : le service des courses et des jeux dépendait jusqu'en 2008... des RG, et il vient de passer sous la responsabilité de la PJ !

Cette mutation n'est pas une sanction, explique au *Monde* un haut responsable, « mais une mesure de protection pour sa sécurité[5] ». Ah bon, celle-ci serait donc menacée ? Remarquable prescience. En effet, quelques jours à peine après cette troublante confidence, la Peugeot 308 de Robert Saby est la cible d'un attentat à la bombe en plein centre d'Ajaccio, dans la nuit du mardi 25 au mercredi 26 novembre 2008 ! La charge artisanale, placée sous la voiture alors garée sur le parking de la résidence du policier, contient un mélange de produits détonants assez courants dans l'île. Beaucoup moins courante, en revanche, est la cible visée. Même en Corse, un attentat contre un responsable policier est une affaire grave qui devrait susciter de vives réactions. Elles sont en fait plutôt discrètes. Certes, la ministre de l'Intérieur Michèle Alliot-Marie dénonce dans un communiqué un « acte lâche » et renouvelle « sa confiance et son soutien » aux forces de l'ordre en Corse. Mais la hiérarchie du commissaire Saby, plus soucieuse qu'indignée, « semble considérer que sa position devenait périlleuse[6] ». Il aurait eu le tort, murmure-t-on, de faire de l'affaire SMS un « combat personnel et obsessionnel ». Huit mois plus tard, en tout cas, l'enquête sur cet attentat n'a toujours pas abouti.

---

5. Antoine Albertini, « Le numéro deux de la PJ en Corse visé par un attentat », *Le Monde*, 27 novembre 2008.
6. *Le Monde, op. cit.*

Qu'en est-il, côté RG, des autres personnes mises en cause? On apprend le 5 novembre 2008 l'audition prochaine «d'un policier de la Direction centrale du renseignement intérieur (DCRI) et de l'un de ses anciens collègues des Renseignements généraux (RG), aujourd'hui consultant pour la SNCM. Tous deux sont convoqués comme témoins, les 10 et 12 novembre, à Marseille, par les juges Charles Duchaine et Serge Tournaire[7]». En charge du dossier SMS, ceux-ci veulent découvrir s'il y a bien eu obstruction aux investigations de la PJ. Le brigadier-chef C. sera lui aussi entendu par les juges.

D'autre part, selon une dépêche AFP du 26 novembre, «l'Inspection générale de la police nationale [IGPN, "police des polices"] a été saisie cette semaine d'une enquête afin de déterminer le rôle des ex-Renseignements généraux (RG) dans l'enquête sur une société corse, la SMS, a-t-on appris de source policière». Cette enquête est ouverte à l'initiative de Frédéric Péchenard, directeur général de la police nationale, soucieux de tirer au clair cette affaire. Dans les deux procédures, les mêmes témoins sont entendus par les enquêteurs. Le brigadier C. est ainsi placé en garde à vue par l'IGPN le 12 décembre. «L'administration cherche à mettre la pression sur C. pour lui tirer les vers du nez», déclare au *Monde* un policier resté dans l'île, qui emploie le terme de «purge». Des collègues de l'intéressé affirment ainsi que des questions lui auraient été posées «de manière incidente» sur la diffusion d'un tract anonyme il y a deux mois, à Ajaccio[8].

---

7. «Corse: un fugitif très entouré», *L'Express, op. cit.*
8. Antoine Albertini et Isabelle Mandraud, «Rebondissement dans la guerre larvée entre les services de police en Corse», *Le Monde*, 14 décembre 2008.

Mais le « témoin numéro un » de ces deux enquêtes est sans conteste Christian Orsatelli, le spécialiste des séparatistes corses aux RG. Et, devant le juge Duchaine, il reconnaît bien volontiers qu'il « traitait » la source Antoine Nivaggioni. S'il a vérifié la mise sur écoutes de tel ou tel numéro de portable, c'était, précise-t-il, « pour protéger [s]a relation avec Antoine Nivaggioni ». Une réponse qui n'explique pas pourquoi les proches de Nivaggioni ont arrêté d'utiliser leurs portables au fur et à mesure que l'homme des RG s'informait à leur sujet. Orsatelli souligne à plusieurs reprises qu'Antoine lui a rendu de grands services et « précise que sa hiérarchie, notamment le patron des RG de l'époque, Joël Bouchité, était au courant de tout[9] ». Une ouverture de parapluie en bonne et due forme. Si c'est bien le cas, on pourrait s'attendre à ce que les juges entendent Joël Bouchité pour recouper les affirmations de son ancien subordonné. Huit mois plus tard, cela ne semble pas avoir été le cas.

En revanche, quelques jours après cette audition, Christian Orsatelli va à son tour changer d'affectation, sans que l'on puisse obtenir de précisions sur ses nouvelles attributions. Interrogé par le site Nouvelobs.com, un représentant de la DCRI (non identifié) reconnaît que ce fonctionnaire « a outrepassé les limites, même si rien ne démontre pour le moment qu'il a commis des actes illégaux ». Tous les policiers ou anciens policiers français poursuivis par la justice pour avoir fourni un extrait de fichier de police à une agence de recherches privées prendront sans doute bonne note de cette indulgence. Et le représentant de la DCRI de poursuivre : « On se demande qui manipulait qui, entre le

---

9. Propos cités par Ariane Chemin et Marie-France Etchegoin : « Révélations sur des écoutes compromettantes : drôles de flics », *Le Nouvel Observateur*, 3 décembre 2008.

policier et l'ex-natio reconverti dans les affaires[10]. » Certes… En attendant que l'IGPN rende à son tour son rapport sur cette affaire, la DCRI dirigée par Bernard Squarcini reconnaît du bout des lèvres qu'il y a eu des irrégularités, mais la sanction est aussi douce que possible. Ainsi, au moins symboliquement, chaque « maison » semble avoir fait le ménage dans ses rangs, en discrétion comme dans les bonnes familles.

Et, comme une hirondelle faisant son apparition dans un ciel dégagé après l'orage, le dernier grand absent de l'affaire réapparaît. Antoine Nivaggioni avait fait savoir qu'il se rendrait à la police « quand les conditions seraient réunies ». Ce n'est pas une reddition mais une arrestation « en douceur » qui intervient après les fêtes, le 9 janvier 2009 près de l'hôpital d'Ajaccio. Les hommes du RAID (Recherche, assistance, intervention, dissuasion, l'unité d'élite de la police) et ceux de l'OCLCO (Office central de lutte contre la criminalité organisée), apparemment bien informés, se saisissent de Nivaggioni sans rencontrer la moindre résistance. Portant perruque, sans arme, il se promène alors avec sa compagne, laquelle sera relâchée peu après. Dans un communiqué, la ministre de l'Intérieur Michèle Alliot-Marie « félicite les services de police » pour cette arrestation d'un homme « recherché depuis novembre 2007 ». Incarcéré, Nivaggioni est mis en examen pour « abus de biens sociaux », « blanchiment à titre habituel ou en bande organisée », « recel d'escroquerie aggravée à titre habituel et en bande organisée », « association de malfaiteurs », « présentation de comptes annuels inexacts », « faux » et « usage de faux ».

---

10. Ariane Chemin et Marie-France Etchegoin, « Branle-bas de combat dans la police », *Nouvelobs.com*, 12 décembre 2008.

Cette fois, c'est sûr, l'affaire va vers son épilogue. Ou du moins le croit-on. Tout juste reste-t-il encore quelques « trous » à combler. Par une lettre du 3 février 2009, le juge d'instruction Charles Duchaine, chargé du dossier SMS à la JIRS (juridiction interrégionale spécialisée de Marseille), demande à la ministre Michèle Alliot-Marie la déclassification de documents qui concernent directement l'affaire. Sans plus de précisions, on peut émettre l'hypothèse que ces dossiers émanent de la DCRI, qui dépend de l'Intérieur, et dont la production est couverte par le secret-défense. Comme le prévoit la loi, la ministre saisit alors la Commission consultative du secret de la défense nationale (CCSDN). Hélas, trois fois hélas, lors de sa réunion du 16 avril suivant, la Commission émet un avis défavorable à la déclassification. Pour quelle(s) raison(s) ? Mystère. La Commission ne motive jamais publiquement ses avis. Et, malheureusement pour la clarté de l'instruction, les avis de la Commission « indépendante » (au nombre de 140 jusqu'à cette date), ont été suivis, dans leur quasi-totalité, par les ministres concernés.

Cette légère contrariété n'est pas de nature à faire capoter, à elle seule, l'instruction : le dossier atteint désormais la taille respectable de 40 000 pages ! C'est beaucoup pour une « simple » affaire financière. Mais peut-être pas pour une « pelote » dont les fils emmêlés semblent mener à un nombre impressionnant de personnages et d'intrigues politiques, policières, judiciaires et financières. Parmi les personnages les plus énigmatiques de ce dossier, celui vers lequel tous les regards se tournent désormais en ce début 2009, peut-être parce qu'il détient les clés encore manquantes, est bien sûr l'étonnant Alain Orsoni.

VII

Les mystères Orsoni

Quel parcours, que celui d'Alain Orsoni! Cet homme a déjà vécu plusieurs vies, et cela ne semble pas près de s'arrêter. Le personnage fascine : les femmes, les journalistes, les policiers, les politiques… Dans cette affaire où il n'a en principe rien à voir, son nom revient sans cesse : dans les écoutes d'Antoine Nivaggioni, son ami très proche, dans la rumeur publique qui lui prête des projets de mainmise sur l'île, mais aussi dans les interrogatoires de police. Quelle est la part des fantasmes et de la réalité?

Une chose est sûre : on a bel et bien voulu abattre le patron de l'Athletic Club d'Ajaccio. Entendu par la police le 4 avril 2009, Edmond Melicucci, membre du commando qui projetait d'exécuter Orsoni, s'est « mis à table ». Il a désigné ses complices, deux malfaiteurs connus pour leur appartenance à la bande du *Petit Bar*[1], et surtout les commanditaires de l'opération. Selon lui, depuis la mort d'Ange-Marie Michelosi, Jean-Toussaint n'avait qu'une idée : « venger son frère ». Placé en garde à vue, Jean-Toussaint a désigné quatre hommes qu'il accuse d'avoir abattu Ange-Marie. Parmi ces quatre hommes figure un proche de Richard Casanova (disparu le 23 avril). Et surtout, Michelosi a affirmé : « J'ai la certitude que ces quatre personnes n'ont pas pu agir de la sorte sans que le nommé Alain Orsoni en soit informé[2] ». Et d'ajouter : « Orsoni n'est pas revenu pour rien.

---

1. Une bande que parrainait, on s'en souvient, Ange-Marie Michelosi.
2. Cité par Yves Bordenave et Jacques Follerou, *Le Monde*, 24 mai 2009.

Il veut régner sur la ville, et même sur toute la Corse.» Grave accusation, qui mêlerait Orsoni à la cascade de règlements de comptes qui ensanglantent le milieu corse depuis 2006. Mais l'homme d'affaires de retour d'exil est-il réellement «à la manœuvre» dans les troubles recompositions en cours dans l'île? Et si c'est le cas, Orsoni peut-il espérer s'en sortir vivant? Pour le comprendre, il faut sans doute dérouler son étonnant parcours.

La guerre fratricide des «natios»

Il est des jeunes gens qui semblent dotés de tous les talents. Dans les années 1970-1980, le «Bel Alain», comme on le surnomme alors, semble avoir tout pour plaire aux jeunes filles : un physique avantageux de sportif accompli (c'est un as du parapente), une voix chantante qui rappelle celle d'Yves Montand et d'évidentes facilités intellectuelles (il est lauréat d'un accessit au concours général d'économie). Sans compter qu'il est aussi un membre charismatique du nationalisme corse : il fait partie de ceux qui ont occupé en 1975 la cave viticole d'Aleria, événement fondateur du mouvement. Un engagement qui marque un tournant : dans la première moitié des années 1970, l'étudiant Orsoni, fils de légionnaire, a milité comme d'autres camarades corses à l'extrême-droite, au sein du mouvement Occident, et organisé des camps de vacances pour le syndicat étudiant GUD (Groupe union défense), avant de faire partie des «gros bras» assurant le service d'ordre du candidat Giscard pendant la présidentielle de 1974. C'est la grande originalité du mouvement nationaliste corse que d'avoir su, dans les années

1970, fédérer une grande partie de la jeunesse, des marxistes jusqu'à l'extrême-droite. Au sein du mouvement, Alain et son frère Guy, engagé à ses côtés, se font vite remarquer par la police parisienne. Piliers du secteur « V » du FLNC, chargé de mener des opérations armées sur l'île et le continent, ils sont déjà sous surveillance. Et dans leur réseau relationnel très composite, on ne trouve pas seulement des nationalistes, mais aussi des membres de la Brise de mer.

Alain va « tomber » en 1980 pour une curieuse affaire : il participe en effet à un commando de six militants nationalistes qui mitraille l'ambassade d'Iran en France le 14 mai, quelques mois après le renversement du Shah par l'ayatollah Khomeiny. Selon la revendication du FLNC, l'attaque visait en fait les gendarmes en faction devant l'ambassade, et répondait à la condamnation par « l'État colonial » de militants FLNC, dont Guy Orsoni, le frère d'Alain. L'attaque fait quatre morts et Orsoni est condamné à quatre ans de prison par la Cour de sûreté de l'Etat. De cette histoire tumultueuse, la gauche qui vient d'arriver au pouvoir ne semble pas tenir rigueur à Alain Orsoni : il est amnistié dès 1982 et sera même accueilli Place Beauvau par le ministre de l'Intérieur Gaston Defferre, soucieux d'ouvrir le dialogue avec le FLNC. Jusqu'à ce qu'il perde patience un an plus tard devant l'intransigeance de ses interlocuteurs.

C'est l'époque où intervient un drame personnel et collectif. En juin 1983, Guy Orsoni disparaît sur l'île sans laisser de traces. Après avoir éliminé toutes les hypothèses, ses proches doivent se résoudre à faire appel à la PJ d'Ajaccio. Un comble pour des nationalistes : en 1982, on a recensé près de 800 attentats dans l'île ! Les premières informations recueillies par la police permettent d'élaborer l'hypothèse d'un enlèvement de

Guy par un groupe de braqueurs de banques et de fourgons blindés, désigné comme «la bande de Valinco». Un piège leur est tendu, avec l'aide d'Alain qui accepte de servir d'appât et circule dans Ajaccio sous discrète surveillance policière, pour provoquer les kidnappeurs. Comme rien ne se passe, la police lance une vague d'arrestations... et retrouve la montre de Guy au poignet de l'un des interpellés. Lequel affirme que Guy a été exécuté, et que tout est lié à une affaire de racket: un oncle des frères Orsoni, Roger, aurait tenté de soutirer une somme d'argent à Jean-Marc Leccia, parrain de la région de Porto-Vecchio, le menaçant d'une exécution par ses neveux du FLNC. C'est par erreur que la bande du Valinco aurait capturé Guy: elle croyait avoir affaire à son oncle. L'affaire prend un tour dangereux pour le mouvement nationaliste, qui veut éviter qu'on salisse sa réputation. La position officielle exposée par un tract sera la suivante: il s'agit d'un «assassinat politique» perpétré par «une bande de truands au service du colonialisme et de ses services spéciaux[3]». Une manifestation est organisée le 25 juin 1983 à Ajaccio aux cris de «Broussard[4] assassin», pour célébrer Guy Orsoni, martyr de la cause nationaliste.

Pour le FLNC, châtier les «truands barbouzes» est désormais une priorité. Le chef de la bande du Valinco décède peu après de mort naturelle, mais son fils sera mitraillé près de l'aéroport d'Ajaccio. Et, surtout, le parrain Jean-Marc Leccia est interpellé à Miami en décembre 1983 et transféré à la prison d'Ajaccio, où il retrouve trois hommes de la bande du Valinco, mis sous les verrous en juin de la même année. En prison, les quatre mal-

---

3. Cité par Jacques Follerou et Vincent Nouzille, *Les parrains corses, op. cit.*
4. Il s'agit du commissaire de la République Robert Broussard, nommé début 1983. Voir ses *Mémoires*, vol. 2, Plon, 1998.

frats semblent protégés contre les représailles du FLNC… mais seulement en apparence. Le 6 juin 1984, un commando du FLNC commet un coup d'audace inouï et qui va marquer les esprits : trois nationalistes armés pénètrent en force dans la prison d'Ajaccio. Alertée, la police encercle le bâtiment. Mais les trois hommes ont le temps de trouver Jean-Marc Leccia, qui est abattu dans son sommeil, en même temps que son homme de main Salvatore Contini. Les « natios » se rendent ensuite à la police. Comme on s'en doute, cet acte de représailles « pour l'honneur » trouvera une résonance forte dans une partie de la population corse. Bien qu'il en ait eu très envie, Alain Orsoni n'a pas participé au commando pour « donner à l'affaire une dimension essentiellement politique » : la direction du FLNC ne souhaitait pas que cela puisse apparaître comme une vengeance familiale. Des années plus tard, Orsoni déclarera dans un documentaire : « C'est le plus grand regret de ma vie de ne pas y avoir été[5]. »

Parmi les chefs du FLNC, Orsoni est celui qui va entretenir les contacts les plus suivis avec les « grands flics » en action sur l'île. Il devient même l'« honorable correspondant » du capitaine Barril, le gendarme de la cellule élyséenne alors en concurrence avec le commissaire Broussard, envoyé par le ministre Defferre. Jusqu'au milieu des années 1990, Orsoni entretiendra de précieux contacts policiers et politiques, toujours utiles. Autre type de fréquentations : sans que l'on puisse assimiler l'un à l'autre, les contacts entre le FLNC et le milieu corse ne sont pas rares dans les années 1980. Tout le monde se connaît dans l'île, l'intrication des réseaux relationnels est inévitable. En 1983, le

---

5. *Génération FLNC*, de Gilles Perez et Samuel Lajus (DVD – ARTE Vidéo, 2004).

leader nationaliste Charles Pieri se retrouve en cellule avec un leader de la Brise de mer, Francis Mariani : les deux hommes s'évaderont ensemble l'année suivante. Il n'est pas rare aussi que bandits et nationalistes se croisent chez les mêmes trafiquants d'armes : un minimum de civilité est alors requis. Certains jeunes Corses hésitent pour leur part entre la voie du nationalisme et celle du banditisme : c'est ainsi que Richard Casanova passe quelques années dans les rangs du FLNC avant de rejoindre la Brise de mer. Il est soupçonné d'avoir participé au commando nationaliste auteur d'un attentat contre un Boeing d'Air France en 1976. En 1980, il quitte le mouvement, mais continuera à faire le lien entre les deux milieux. C'est notamment grâce à ses bons offices que le FLNC et la Brise respectent pendant les années 1980 et 1990 un pacte de non-agression, qui se traduit notamment par l'absence d'attaques contre les fourgons blindés de la société Bastia Securita, société sous la protection des « natios ». « Il n'y a pas de deal mais uniquement des rapports de force », précise Orsoni en 1990. « S'ils s'en prennent à la société de convoi de fonds Bastia Securita, ce sera autrement plus important qu'une attaque d'un fourgon de Securipost. Ils savent qu'immédiatement ils auront deux cents hommes sur le dos[6]. » Un redoutable avantage concurrentiel pour la société en question…

Dans les années 1990, ce délicat écosystème va être durablement perturbé par la guerre fratricide et suicidaire qui déchire le milieu nationaliste entre deux principales composantes : le FLNC-Canal habituel d'Orsoni et le FLNC-Canal historique mené par le triumvirat Jean-Michel Rossi, François Santoni et

---

6. *Le Monde*, 29 novembre 1990, cité par Follerou et Nouzille, *op. cit.*

Charles Pieri. En 1990, Alain Orsoni fonde la vitrine légale de son organisation : le MPA (Mouvement pour l'autodétermination). Sa formation obtient quatre sièges aux élections de 1992 ; Orsoni ne pourra siéger à cause d'une irrégularité dans le financement de sa campagne. Arrêté en 1992 pour détention d'armes, Jean-Michel Rossi (proche de François Santoni) déclare lors de son procès que le FLNC-Canal habituel d'Orsoni est engagé dans une « dérive mafieuse ». Une accusation qui lui vaut aussitôt une menace de mort, mais qui sera reprise par d'autres leaders nationalistes comme Pierre Poggioli, chef de l'*Accolta Naziunale Corsa*. En août 1995, le FLNC-Canal historique déclare lors d'une conférence de presse qu'Alain Orsoni cherche à occulter « derrière un prétendu déchirement du monde nationaliste, la mise en place d'un système mafieux dans Ajaccio et sa région[7] ». On rappelle opportunément les accointances d'Orsoni avec la Brise de mer dans les années 1970, ainsi que l'exécution de deux militants MPA en début d'année dans un contexte de règlements de comptes avec le milieu ajaccien.

De leur côté, les partisans d'Orsoni stigmatisent la connivence entre la Cuncolta de François Santoni en Corse du Sud avec le « parrain » Jean-Jé Colonna. En réalité, les deux groupes ont des liens avec Lillo Lauricella, représentant en Corse d'un des principaux chefs de la mafia romaine. Lauricella gère à compter de 1987 des projets immobiliers de luxe dans l'île de Cavallo, baptisée « l'île aux milliardaires », et divers trafics (jeux, blanchiment). Pour la tranquillité de ses affaires, il finance sans complexe les deux mouvements, mais il commence à avoir des

---

7. Cité par Follerou et Nouzille, *op. cit.*

ennuis avec la justice de son pays en 1995. Lors de ses auditions par la justice italienne en tant que « repenti », Lauricella apporte en 1999 des précisions intéressantes sur une de ses affaires de jeu au Brésil : il a revendu l'année passée ses machines à sous implantées sur place à deux hommes d'affaires français, Olivier Cauro et Francis Perez, eux-mêmes accompagnés par Alain Orsoni. Ce dernier est chargé de développer les activités d'une société en gestation, la Pefaco, qui sera créée à Barcelone en 1998 par Perez et Cauro. Perez est en quelque sorte un ami de la famille pour « le Bel Alain » : Orsoni père, pied-noir partisan de l'Algérie française, s'est lié d'amitié *via* les réseaux OAS avec le père de Francis Perez. Et Perez junior a fait fortune dans les jeux au Brésil avant de racheter plusieurs casinos en France, dont celui de Palavas-les-Flots à Robert Feliciaggi, une vieille connaissance. Toutefois, les investissements français de Perez ont été des échecs, faute d'obtenir les autorisations nécessaires en matière de machines à sous. Retour au Brésil, donc, où Perez fait la connaissance de Lauricella par l'intermédiaire d'un ami commun, Jules Filippeddu. Filippeddu est à l'Amérique du Sud ce que Feliciaggi a été à l'Afrique : homme de multiples affaires, mais surtout des jeux et casinos, intermédiaire tous azimuts au carnet d'adresses bien rempli, et enfin grand ami de Charles Pasqua[8].

Jacques Follerou et Vincent Nouzille détaillent les transactions entre Lauricella et le duo Cauro/Perez : « De fait, déclare Lauricella, quand j'ai vendu les actions à Cauro, à l'été 1998,

---

8. On entend notamment parler de lui lors de l'affaire du vrai-faux passeport d'Yves Chalier, ancien directeur de cabinet du ministre socialiste de la Coopération, Christian Nucci, après avoir impliqué son patron dans l'affaire Carrefour du développement, prit la fuite au Brésil grâce au fameux passeport procuré par Charles Pasqua.

j'ai vendu 25 % de Bingo Matic [l'une des structures mises en place par le groupe Pellegrinetti[9] pour investir dans les machines à sous[10]].» Le parquet italien et les autorités brésiliennes s'interrogeront, en 2000, sur le duo Cauro/Perez. Dans l'une des synthèses judiciaires échangées entre le Brésil et l'Italie, on peut ainsi lire: « Nevada [une autre structure du groupe Pellegrinetti destinée à blanchir l'argent de la drogue] a été vendue à l'été 1998 après plusieurs opérations à MM. Cauro et Perez [...] si l'on en croit la télécopie interceptée le 21 août 1998. » Les autorités italiennes préciseraient plus tard: « Ils sont étrangers aux délits mentionnés[11]. »

Bref, comme on le voit, à l'été 1998, Alain Orsoni a déjà bien entamé sa reconversion. Il faut dire que dans les années 1995-1996, la Corse est devenue un vrai chaudron pour les frères ennemis du Canal historique et du Canal habituel. Les militants tombent « comme des mouches » et les chefs ne sont pas épargnés. Par exemple, le 30 août 1995, un des chefs militaires du Canal habituel, Pierre Albertini, est assassiné. C'était un des membres du commando entré en 1984 dans la prison d'Ajaccio pour venger la mort de Guy Orsoni. Au total, une quarantaine de « natios » ont trouvé la mort sous les balles de leurs anciens frères d'armes. Il faut en sortir.

---

9. Fausto Pellegrinetti, un des piliers de la pègre romaine, à qui Lauricella sert de « blanchisseur ».
10. Extrait des déclarations faites en 1999 par Lauricella à la direction des investigations antimafia en qualité de « repenti ».
11. *Op. cit.*

Reconversions

Déjà, en 1994, Orsoni a exfiltré son frère Stéphane vers l'Amérique du Nord : il a été employé pendant huit mois dans un restaurant de Miami, *La Cigale*, appartenant à l'ami Lillo Lauricella et qui sera repris par Orsoni après les « ennuis » de Lillo. Désormais, l'heure est au désarmement et à la dissolution du MPA. Alain Orsoni et certains de ses proches comme Antoine Nivaggioni, Francis Castola, Paul Giacomoni, Jacques Santoni et quelques autres choisissent la voie de l'exil. Direction l'Amérique centrale et le secteur des machines à sous.

Le travail là-bas ? « Obtenir des licences de jeu au Salvador, au Honduras, en Équateur ou au Nicaragua en faisant du lobbying politique auprès de ministres ou d'amis élus là-bas[12]. » Une affaire qui semble rouler. Sauf en 1999 : la petite équipe se fait expulser du Nicaragua vers la France dans le cadre d'une procédure judiciaire, à l'exception de son chef qui réussit à s'éclipser. Orsoni se présentera de lui-même à la justice française en 2000, pour apurer une condamnation pécuniaire datant de 1987 : l'indemnisation des gendarmes blessés devant l'ambassade d'Iran en 1980. En Corse, les anciens du MPA qui ne l'ont pas suivi en Amérique se sont reconvertis : l'ami Michel Moretti dirige l'AC Ajaccio, d'autres ont trouvé une place à la très « stratégique » chambre de commerce et d'industrie de Corse du Sud, grande pourvoyeuse d'emplois et de marchés. Celle-ci est présidée par l'ami Gilbert Casanova, patron de la concession Peugeot dans l'île... Enfin, Antoine Nivaggioni attend son jugement dans une affaire de tentative de meurtre tout en peau-

---

12. Citation d'Alain Orsoni reproduite par *Le Nouvel Observateur*, 9 octobre 2008.

finant son projet de société de sécurité. Tous les acteurs sont en place.

Le retour d'Alain

Alors, comment interpréter le retour d'Alain Orsoni dans l'île en 2008 ? Certes, par sa stature, et son expérience, l'homme a sans conteste le profil d'un « parrain » possible, capable s'il est solidement secondé de tenir en respect les bandes émergentes de petits voyous remuants et de ramener un peu de stabilité dans les affaires de l'île. Peut-être… Mais si l'on prend un peu de hauteur, l'impression dominante est plutôt que le réseau des anciens du MPA est en train de se déliter. Gilbert Casanova, par exemple, a dû abandonner la présidence de la chambre de commerce et d'industrie (CCI) en raison de menus ennuis judiciaires (voir chapitre III)… qui ne vont pas s'arranger puisqu'il est arrêté le 22 juin 2008 dans l'Hérault, soupçonné de trafic de drogue par hélicoptère entre le Maroc et Béziers, en compagnie de membres de la bande du *Petit Bar*. Une bande du *Petit Bar* qui semble avoir « récupéré » plusieurs anciens du MPA : Paul Giacomoni, tué dans un règlement de comptes en septembre 2006. Ou Jacques Santoni, ex-défricheur de la Pefaco en Asie. Sans parler de Francis Castola junior, fils de Francis Castola, compagnon d'Orsoni au MPA, puis en Amérique du Sud, qui a été tué en 2005 à Ajaccio.

Parmi les « anciens » du MPA encore valides, il y aurait bien Alain Lucchini. Gérant de discothèque, cet ancien du MPA va justement être importuné : en prenant le volant de son 4x4 dans l'après-midi du 28 décembre 2008, il est pris en chasse par trois

hommes cagoulés à bord d'une Peugeot. À l'issue d'une poursuite digne d'un film d'action, avec coups de feu échangés entre
les deux véhicules, Lucchini s'en est tiré avec des blessures à la
main, aux jambes, à la fesse et sur le côté… Mais le Sig Sauer
qui lui a permis de se défendre lui vaut une inculpation pour
« infraction à la législation sur les armes » après sa sortie de l'hôpital. Lors d'une conférence de presse, l'avocat de Lucchini
révèle que son client a été entendu en juillet par les services de
police dans le cadre de l'enquête sur l'assassinat d'Ange-Marie
Michelosi : il s'agirait d'un « grossier stratagème consistant à le
présenter, sur la place publique comme une des personnes susceptibles d'avoir participé à cet homicide […] Ces auditions ont
placé Alain Lucchini dans une situation embarrassante pour son
intégrité physique […] vis-à-vis des amis des personnes assassi-
nées[13]. » Encore une manipulation des services de police pour
susciter des règlements de comptes entre factions rivales ? En
tout cas, Lucchini ne reprendra pas tout de suite du service…

Enfin, le proche parmi les proches d'Alain Orsoni, Antoine
Nivaggioni, entre en prison début 2009, sans doute pour un
moment. C'est peut-être inévitable, mais c'est un coup dur.
Sans compter que les « amis » de la CCI semblent eux aussi per-
sécutés par la justice. Alors, si on tire un bilan de ces ennuis qui
arrivent en rangs serrés, du réseau MPA il ne reste pas grand-
chose.

Bien sûr, l'amitié et le respect de la parole donnée à Michel
Moretti ont sans doute compté pour Alain Orsoni dans la décision de reprendre les rênes de l'ACA après la mort de son ami.

---

13. Cité par Gilles Millet *in* « Règlements de comptes : série en cours », *Corsica*,
février 2009.

Et aussi, très certainement, la volonté de ne pas laisser cet outil d'influence qu'est le club de foot tomber entre de mauvaises mains. Mais quelles contraintes doit-il s'imposer pour cela! Une maison à l'écart de la ville, transformée en bunker, une berline blindée, une cohorte de gardes du corps! Pour s'infliger tout cela à 53 ans, il faut une motivation forte, plus intime peut-être: son fils.

Prénommé Guy en souvenir de son oncle, le jeune Orsoni (25 ans), a été interpellé à Perpignan, en mars 2008, porteur d'un sac contenant 50 000 euros mais aussi des traces de cocaïne. Pour échapper à la surveillance paternelle, il était obligé de faire le «mur». Après ce regrettable incident, Alain Orsoni demande à l'un de ses derniers fidèles, Noël Andréani, de jouer les anges gardiens de son fils. Libéré et mis en examen pour blanchiment, le jeune Guy est entré en cavale. Et il perd bien vite son ange gardien: en juin 2009, Noël Andréani qui circule à bord d'un scooter est percuté par une voiture, puis abattu de quatre balles de fusil.

Le jeune homme est désormais seul. D'autant plus seul que son père Alain, à la surprise générale, est mis en examen et écroué à Toulon le 8 juin pour association de malfaiteurs et complicité d'assassinat, accusations qu'il rejette. La justice le met en cause dans le meurtre en janvier 2009 de Thierry Castola, fils de Francis Castola. Elle le soupçonne aussi d'avoir quelque chose à voir dans un guet-apens qui a visé, sans l'atteindre, son frère Francis en avril, laissant tout de même sur le carreau deux de ses amis, morts.

Pourquoi Orsoni s'en prendrait-il aux fils d'un de ses compagnons de route? Selon les anciens du MPA, en exil au Nicaragua, Francis Castola aurait mis de l'argent dans des affaires communes avec Alain. Après sa mort en 2005, ses deux fils Thierry et Francis réclament le remboursement de leurs dettes. Et l'atmosphère se tend d'autant plus facilement que les deux fils se sont rapprochés de cette bande du *Petit Bar* dont plusieurs membres ont participé au projet d'assassinat contre Orsoni en août 2008… En perquisitionnant le domicile de la famille Castola, la police retrouve une lettre adressée par Alain Orsoni : « Le gibier n'a pas coutume de payer les cartouches du chasseur qui veut le tuer… Donc vous allez vous faire enculer ! Ceci étant, par respect pour la mémoire de votre père qui a été mon ami, ne vous approchez plus ! » Et il ajoute : « Ne vous approchez plus ! Ne prenez plus de renseignements sur mon fils. » Alain Orsini doit reconnaître qu'il est bien l'auteur de cette étonnante missive. « Une connerie », explique son avocat Me Antoine Sollacaro. « Ce jour-là, il avait pété les plombs. Il était exaspéré[14]. » Certes, une menace ne vaut pas preuve d'assassinat. Mais cela n'arrange pas le cas du « Bel Alain ».

Le 23 juin, nouvelle fusillade : des tueurs en voiture prennent en chasse Francis Castola, qui conduit sa moto dans le village d'Alata près d'Ajaccio. Malgré des blessures aux cuisses et aux bras, le motard parvient à semer ses agresseurs. Il vient d'en réchapper une deuxième fois. Guy Orsoni, Francis Castola : deux fils sous la menace. Pendant encore combien de temps ?

Même si les ennemis d'Alain Orsoni arguent que ses amis policiers l'ont mis en prison pour le protéger, voire l'exfiltrer de

---

14. Cité par Yves Bordenave, *in* « La saga trouble d'Alain Orsoni », *Le Monde*, 27 juin 2009.

Corse, la vérité est que le clan Orsoni n'est plus que lambeaux. Son chef sortira peut-être de prison. Mais saura-t-il protéger son fils et les siens ? Quel est son avenir dans l'île ? Honnêtement, on ne voit pas très bien.

VIII

Questions ouvertes

Parvenus à ce stade de l'histoire, il est temps de chercher à relier les pointillés qui subsistent dans le tableau d'ensemble, et, donc, de se risquer à quelques hypothèses et déductions. En prison[1], Alain Orsoni observe une remarquable retenue. C'est d'autant plus dommage qu'on se demande toujours à quoi pouvait donc faire allusion sa tirade désormais célèbre :

« On est en pleine campagne électorale, écoute-moi, *Le Canard enchaîné*, il va faire la une, je te le jure, pendant une semaine ! Tu vas voir ! Qu'ils nous cassent les couilles, encore, tu vas voir si *Le Canard enchaîné* il va pas faire la une… Y a des candidats qui vont se manger les couilles, je te le dis, moi ! […] *Le Canard enchaîné, Le Monde, Libération*, ils vont faire la une… Et avant l'élection présidentielle, je te le dis moi ! Il va y avoir les horaires des repas, les restaurants, les lieux, les personnes présentes et le reste, ça je te le dis ! Et j'en prendrai la responsabilité moi tout seul, voilà[2] ! »

Deux explications nous semblent pouvoir être formulées, et toutes deux tiennent à la reconversion d'Alain Orsoni dans les jeux.

---

1. Août 2009.
2. Cf. chapitre 5.

Mystérieuse Pefaco

On aimerait en savoir plus sur la Pefaco, ce groupe barcelonais qui a employé (et emploie encore ?) Alain Orsoni pendant toutes ses années d'exil. Et ce d'autant plus que, dans le milieu des jeux, on murmure que la Pefaco pourrait faire son entrée en France en 2010. C'est en effet l'année où prendra fin le monopole très rentable de la Française des jeux, en conformité avec les directives européennes. Le groupe Pefaco ne serait pas insensible aux perspectives ouvertes par ce bouleversement et souhaiterait s'investir notamment dans les PMU, les jeux de grattage et de loto… Une prédiction à vérifier d'ici quelques mois. Raison de plus, en tout cas, pour mieux s'informer sur l'histoire et les activités du groupe.

Selon Nicolas Beau, qui a enquêté de près sur *La maison Pasqua*[3], Olivier Cauro et Francis Perez sont « deux alliés du clan ». Leur société « investit en Centrafrique ou au Togo avec la bénédiction de Daniel Léandri. Durant l'été 2001, Cauro et Perez ont même pris des contacts avec le Premier ministre ivoirien, Laurent Gbagbo, pour investir dans un casino à Abidjan. Et toujours avec la bénédiction de l'ami Daniel. »

Le site Web du groupe (www.pefaco.net) présente un visage tout ce qu'il y a de rassurant et de professionnel : « Grupo Pefaco, un partenaire de confiance », peut-on lire sur la page d'accueil. Le site détaille les activités du groupe : hôtels et résidences hôtelières d'une part, établissements de jeux d'autre part (sous la marque « Lydia Ludic »). Et il insiste énormément sur les actions sociales et humanitaires de la société en Afrique : œuvres

---

3. Plon, 2002.

sociales, don de matériel médical à un hôpital, aide à un orphelinat, etc. Louables initiatives, que l'on ne peut que saluer. Plus encore, on y apprend que « le 19 février dernier [2009 ?], Pierre-Michel Pons, directeur général de la filiale du Grupo Pefaco au Burkina Faso, a eu l'honneur d'être invité à un débat organisé par la Banque mondiale et le ministre des Finances burkinabé, pendant lequel on a abordé le thème suivant : "Techniques et moyens pour la lutte contre le blanchiment d'argent". Lydia Ludic a été invité à ce débat pour son honnêteté et transparence dans le monde des affaires et pour le grand nombre d'emplois générés par l'entreprise. » La maladresse du rédacteur peut faire sourire : une simple invitation à un débat par un ministre burkinabé fait l'objet d'une exégèse hardie qui confère au groupe tout entier une aura d'honnêteté. Imagine-t-on une société du CAC 40 expliquer doctement sur son site que si le patron d'une de ses filiales a été invité à un débat par les pouvoirs publics, c'est en raison de la grande honnêteté du groupe, et parce qu'il crée beaucoup d'emplois ? Et le site Web d'ajouter, comme si cela avait un rapport évident : « Les résultats du Groupe Pefaco sont certifiés par Price Waterhouse Cooper et Kroll INC, deux entreprises reconnues pour leur lutte contre le blanchiment de capitaux. » Si Price Waterhouse Cooper est en effet un cabinet d'audit comptable, ce n'est nullement le cas de Kroll, plus célèbre cabinet américain d'intelligence économique. À la demande de gouvernements, Kroll a en effet parfois mené des missions de lutte contre le blanchiment d'argent, mais le fait que Pefaco emploie ses services ne vaut nullement brevet d'honorabilité : Kroll n'est pas connu pour chercher des poux dans la tête de ses clients mais pour enquêter sur leurs ennemis ou concurrents.

Au-delà de cette communication un peu maladroite, le journaliste curieux qui chercherait à consulter les rapports d'activités du groupe pour connaître, par exemple, son chiffre d'affaires et d'autres chiffres clés, serait vite déçu : en effet, la société Pefaco de Barcelone est une simple holding chargée des affaires financières du groupe. Ses activités concrètes sont, pour leur part, implantées hors d'Europe : en Amérique du Sud et en Afrique. Avec, bien évidemment, des obligations plus légères en matière d'information financière. Il y a quelques mois encore, le site indiquait en tout petits caractères une deuxième adresse du groupe : Ocean Centre, Montagu Foreshore, East Bay Street – PO Box SS-19084, Nassau, New Providence, Bahamas.

Les Bahamas ! Leur climat, leurs plages de sable blanc… un vrai paradis écologique, mais aussi fiscal.

Pourquoi une telle configuration ? Ne soyons pas hypocrites : dans les pays où exerce la Pefaco, les autorisations dépendent directement du pouvoir politique. Alain Orsoni l'a reconnu sans ambages en décrivant ainsi ses missions : « Obtenir des licences de jeu au Salvador, au Honduras, en Équateur ou au Nicaragua en faisant du lobbying politique auprès de ministres ou d'amis élus là-bas[4]. » Compte tenu du caractère imparfaitement démocratique des régimes africains et sud-américains avec lesquels travaille la Pefaco, on peut douter de l'absence de contreparties financières aux autorisations obtenues. Un siège à Nassau permet de ne pas inscrire ce type de « frais » dans une comptabilité qui ne répond pas aux normes européennes ou nord-américaines. Alors qu'il est quasiment impossible, à Nassau, de se faire communiquer des chiffres clés sur le groupe,

---

4. Citation d'Alain Orsoni reproduite par *Le Nouvel Observateur*, 9 octobre 2008.

et encore moins sur ses commissions plus ou moins occultes aux politiques des pays où il intervient.

Revenons un moment en 1995, année de la création de la Pefaco. La Corse est en pleine guerre des nationalistes. Depuis 1993, Charles Pasqua a retrouvé son ministère de prédilection, l'Intérieur. Lors de son précédent passage, en 1986-1988, il avait débarqué dans l'île avec tambours et trompettes, reprenant son tube favori «nous allons terroriser les terroristes» (en l'occurrence le FLNC). De fait, son action musclée a affaibli le mouvement nationaliste, mais s'est interrompue en 1988. À son retour aux affaires en 1993, Charles Pasqua change de stratégie. Il décide d'apaiser les nationalistes par la persuasion plutôt que par la force. Aux élections locales de 1992, les vitrines légales des deux camps ont établi un rapport de force interne, défavorable à Orsoni : 9 élus pour A Cuncolta, la vitrine du Canal historique, contre 4 pour le MPA. Pour acheter la paix sur l'île, résume un nationaliste, «Pasqua a promis aux uns le pouvoir politique et aux autres le pouvoir économique[5]». Au MPA, le pouvoir économique? De fait, quand on revoit le bilan du début des années 2000, on constate que les «anciens MPA» ne s'en sont pas trop mal tirés. La chambre de commerce et d'industrie, l'Athletic club, la SMS… De l'autre côté, le «pouvoir politique», les leaders d'A Cuncolta deviennent en effet les interlocuteurs privilégiés du ministère. Dans ses Mémoires, *Pour solde de tout compte[6]*, leur chef François Santoni témoigne de la prévenance dont il est l'objet : «À chaque rencontre,

---

5. Cité dans le documentaire *Génération FLNC, op. cit.*
6. Denoël, 2000.

Pasqua a le même ton paternaliste, sympathique, avec toujours quelques mots en langue corse. » Grâce au fidèle conseiller en affaires corses, Daniel Léandri, qui reste en poste sous Jean-Louis Debré (1995-1997), cette relation privilégiée n'est pas interrompue par l'alternance à droite. Deux événements mettent cependant un sérieux frein à cette idylle : tout d'abord le malheureux plastiquage, par le FLNC-Canal historique, de la mairie de Bordeaux indispose le Premier ministre Alain Juppé, qui va reprendre en main le dossier avec la raideur qu'on lui reproche parfois. Puis l'assassinat du préfet Érignac en 1998 perturbe considérablement le jeu : en plein brouillard, les enquêteurs arrêtent tout ce qui bouge sur l'île, ou presque. Il faut attendre 1999 pour que le pouvoir, désormais socialiste, se réconcilie avec les nationalistes… On ne peut manquer d'observer que, à l'été 2001, la majorité qui approuve le processus de Matignon, voulu par Lionel Jospin, repose sur une petite dizaine d'élus proches de Charles Pasqua, emmenés par Robert Feliciaggi.

Au regard de ces vicissitudes, le chef du MPA n'a pas fait un mauvais choix en acceptant de quitter l'île et de recycler ses amis dans les « affaires ». Reste à savoir comment sa reconversion s'est jouée : Perez lui a-t-il spontanément offert un emploi en souvenir de l'amitié entre leurs pères ? Ou lui a-t-on demandé de rendre ce service ? Notons qu'Orsoni n'est pas parti seul et sans bagages : plusieurs de ses lieutenants l'ont accompagné. Alors, oui, c'est vraisemblable, la reconversion en masse de l'état-major MPA a pu être concertée, organisée, par certains amis de Pasqua. Rien de condamnable dans le principe, d'ailleurs, surtout si cela a permis de mettre fin à une spirale meurtrière dans l'île. Si tel est le cas, y a-t-il eu des contreparties apportées à cette opération de reconversion? Cela n'est pas établi. On peut simplement observer que dans les années qui ont suivi, le groupe Pefaco s'est très largement implanté en Afrique, dans des pays qui étaient jusque-là des chasses gardées des «corsafricains». Y a-t-il eu association entre les uns et les autres? Là encore, les réponses se trouvent hors de notre portée.

Est-ce à ces contreparties que pense Alain Orsoni quand il menace de mettre dans l'embarras des «candidats» à la présidentielle de 2007? On ne voit pas très bien comment. Charles Pasqua n'est pas candidat, il a alors bien d'autres chats à fouetter sur le plan judiciaire.

Une autre explication, plus simple et plus classique, est possible. Alain Orsoni, on l'a vu, s'exprime avec verdeur, sous le coup de l'émotion. Il fait référence à des événements récents, directement liés à l'élection présidentielle. Omniprésente en Afrique, la Pefaco est, par fonction, aux petits soins pour les chefs d'État et leurs proches. On le sait, certains d'entre eux ont par le passé contribué au financement de certaines campagnes électorales en France. On peut difficilement jurer que cela ne s'est pas reproduit en 2007. Dans un tel contexte, la Pefaco réalise d'importants bénéfices dans ses établissements, et reverse peut-être des commissions aux responsables politiques locaux. Peut-on imaginer que tel ou tel chef d'État africain ait demandé à la Pefaco d'assurer le transfert vers la France de sommes correspondant à ses contributions? Dans une telle hypothèse, il est évident qu'Alain Orsoni, bon connaisseur du personnel politique français, aurait eu un rôle à jouer, ou tout au moins aurait été informé des circuits. L'hypothèse «tient la route», comme on dit, mais à ce stade aucune preuve tangible n'existe. Pour en savoir plus, on ne peut qu'espérer qu'Alain Orsoni se départe rapidement d'une discrétion et d'une timidité qui ne lui ressemblent pas.

Et la SMS ?

Autre sujet d'étonnement dans ce dossier : malgré tous les soucis rencontrés depuis 2006, la SMS rebaptisée Arcosur poursuit ses activités comme si de rien n'était. Ses clients, notamment publics, semblent avoir fait preuve d'une belle compréhension et d'une fidélité sans faille. En temps de crise, une telle qualité de relations fournisseurs-clients mérite d'être soulignée. De même que le renouvellement en avril 2008 par la préfecture de Corse-du-Sud de l'indispensable agrément de la SMS. Si l'on ajoute à cela que se présentent, en 2007 puis 2008, des investisseurs de métropole ou locaux toujours disposés à valoriser l'entreprise sur une base confortable, tous les espoirs sont permis. Et cela alors que l'entreprise a perdu celui qui se présentait lui-même comme son « homme clé », l'artisan de sa forte croissance.

Il reste, bien sûr, à éponger le volet judiciaire de l'histoire. On attend avec impatience le procès qui devrait débuter en 2010, pour que soit établie l'étendue des infractions dénoncées par les différentes enquêtes financières. Son accusé central, Antoine Nivaggioni, devra s'expliquer sur de nombreux chefs d'accusation. Il faut lui reconnaître, en tout cas, une qualité entrepreneuriale certaine : la création de la SMS en 2000 répondait à une opportunité mais relevait du défi. Opportunité, la prochaine privatisation de la sécurité à l'aéroport de Campo dell'Oro : si cette information (confidentielle en 2000) devait se vérifier, cela donnerait accès à un marché majeur sur l'île, et qui en ouvrirait bien d'autres. Il fallait donc avoir la foi dans l'issue d'un tel projet de privatisation pour se lancer. Mais quel défi, que d'imposer un nouvel acteur sur le marché de la sécurité, face aux mastodontes de la métropole, et surtout sans la moindre expérience, avec un pedigree de nationaliste clandestin et une affaire judiciaire en cours! Malgré tout cela, la SMS s'est imposée. L'a-t-on aidée? Un peu? Beaucoup? À quels niveaux? Peut-être le procès permettra-t-il d'en savoir un peu plus. Une chose est sûre: son destin n'est pas banal et bien des PME de métropole aimeraient avoir autant de «bonnes fées» qu'elle. Alors, qui peut être à ce point et directement intéressé par la poursuite de son activité, à l'exclusion de toute autre société? Mystère…

Il faut seulement remarquer que l'aéroport de Campo dell'Oro – on y revient une dernière fois – ne présente pas seulement un enjeu sécuritaire. C'est aussi un point d'entrée sur le territoire français très apprécié par nombre de jets privés, qui effectuent la navette avec tel ou tel pays d'Afrique… Y a-t-il un rapport?

Une affaire d'État?

Reste le volet «guerre des polices» de cette affaire. On a beau avoir connu, dans les années 1980 et 1990, bien des dossiers de ce genre, et même en Corse, le dénouement de celui-ci nous laisse sur notre faim. En ce qui concerne la PJ d'Ajaccio, le départ quasi simultané de plusieurs acteurs est troublant. Considérons que celui du directeur de la PJ est une évolution administrative normale. Reste celui du commissaire Saby, dans des conditions beaucoup moins classiques, et d'un brigadier qui a eu le tort, autrefois, de fumer quelques «pétards». On nous dit que le commissaire a été écarté «pour sa sécurité», parce qu'il s'investissait de manière trop émotionnelle dans le dossier SMS. Un investissement qui lui a valu des accusations très graves d'Alain Orsoni et d'Antoine Nivaggioni, d'une part, et de Bernard Squarcini, d'autre part: celles d'avoir répandu des rumeurs malsaines sur l'implication d'Orsoni et Nivaggioni dans les règlements de comptes en cours dans l'île et celle d'avoir diffusé des tracts accusant les anciens du MPA et les RG de coupable collusion. C'est énorme! Si ces accusations étaient prouvées, il s'agirait d'une affaire d'État, aux implications vertigineuses. On s'attend donc à une enquête minutieuse, pour dissiper le trouble causé par ces propos. Mais circulez, il n'y a rien à voir! Les intéressés sont mutés, une enquête de l'IGPN est diligentée, dont on attend (ou espère) que les résultats seront rendus publics.

En ce qui concerne les RG, là encore des accusations très graves ont été portées, avec un grand nombre d'écoutes mettant en cause la relation d'un brigadier des RG, en charge du séparatisme corse, avec Antoine Nivaggioni. Là aussi, il y a potentiellement matière à une affaire d'État – si le brigadier a agi sur ordre de sa hiérarchie – ou à une affaire policière s'il a agi de son propre chef. Mais sans attendre l'opinion de l'IGPN, ce policier n'a subi qu'une mutation, assortie d'une désapprobation formelle plutôt légère. Il serait intéressant de connaître sa nouvelle affectation.

Beaucoup de questions restent donc en suspens, mais le tableau d'ensemble, on l'espère, est devenu un peu plus intelligible. Au-delà des nombreuses «affaires dans l'affaire» SMS, les convulsions récentes qui agitent la Corse témoignent aussi d'une adaptation problématique aux évolutions accélérées de l'économie mondialisée. Tout au long du XXᵉ siècle, nombre de Corses ont su, avec un certain talent, affronter le «grand large» des affaires internationales, qu'elles soient légales ou non, tout en préservant au maximum leurs particularismes locaux et en bâtissant un solide réseau de solidarités. Face à un État français changeant et connaissant mal les subtilités insulaires, les mouvements nationalistes ont souvent su tirer leur épingle du jeu pendant deux décennies. Mais l'impasse de la violence politique, et les mélanges douteux entre affaires et nationalisme, ont eu raison des idéaux des années 1970. Et il est devenu de plus en plus difficile de faire des affaires «à l'ancienne», avec valises de cash et prête-noms. Dès lors, l'horizon est devenu le même pour tous : l'économie «légale». Mais l'île est étroite, bien étroite pour permettre à tous d'assouvir leurs ambitions. La vague de règlements de comptes à laquelle on a assisté ne semble pas faire de vainqueurs, ou alors ceux-ci sont bien dissimulés. Les optimistes feront remarquer que cette situation offre à l'État une occasion sans précédent de «reprendre la main» dans l'île. Mais encore faudrait-il pour cela qu'il soit insoupçonnable et impartial.

Chronologie

14 mars 2005 : assassinat de Francis Castola.

15 août 2005 : assassinat de l'aubergiste Paul Renucci.

3 mars 2006 : arrestation de Richard Casanova.

10 mars 2006 : assassinat de Robert Feliciaggi.

19 mai 2006 : assassinat de Paul Corticchiato, un proche de Robert Feliciaggi.

Été 2006 : Robert Saby nommé directeur adjoint de la PJ d'Ajaccio.

Été 2006 : tract anonyme à Ajaccio : « La justice coloniale et ses valets tombent les masques. »

13 septembre 2006 : assassinat de Paul Giacomoni.

1er novembre 2006 : mort de « Jean-Jé » Colonna.

Janvier 2007 : ouverture d'une information sur la Société méditerranéenne de sécurité par la juridiction interrégionale spécialisée de Marseille.

Mars 2007 : Les RG demandent de façon répétée des informations à la PJ d'Ajaccio sur les écoutes de l'entourage d'Antoine Nivaggioni.

28 mars 2007 : perquisition des locaux de la SMS par l'OCRB et appels d'Antoine Nivaggioni à Christian Orsatelli et Alain Orsoni.

Juin 2007 : Bernard Squarcini est nommé directeur de la DST.

20 novembre 2007 : première vague d'interpellations dans l'affaire de la SMS. Nivaggioni prend la fuite.

8 janvier 2008 : Francis Pantalacci se rend à la police.

17 janvier 2008 : arrestation de Ficquelmont, Schnoebelen et Angelini, relâchés peu après.

Avril 2008 : la préfecture de Corse-du-Sud renouvelle son agrément à la SMS, rebaptisée Arcosur.

23 avril 2008 : assassinat de Richard Casanova à Porto-Vecchio.

Mai 2008 : retour d'Alain Orsoni.

16 juin 2008 : assassinat de Jean-Claude Colonna.

3 juillet 2008 : assassinat de Daniel Vittini.

9 août 2008 : assassinat d'Ange-Marie Michelosi.

Été 2008 : création de la DCRI (Direction centrale du renseignement intérieur), placée sous la direction de Bernard Squarcini.

11 août 2008 : la SARL Mathieu Fruits entre au capital d'Arcosur.

29 août 2008 : tentative d'assassinat contre Alain Orsoni.

15 septembre 2008 : conférence de presse d'Alain Orsoni : « Certains policiers jouent un jeu dangereux. »

2 octobre 2008 : nouveau tract anonyme à Ajaccio contre les « barbouzes de l'État colonial ».

9 octobre 2008 : « Bernard Squarcini veut porter plainte » (*Le Nouvel Observateur*).

1er novembre 2008 : interview d'Antoine Nivaggioni à Corsica.

10 et 12 novembre 2008 : audition par les juges Duchaine et Tournaire de Didier Vallé et Christian Orsatelli.

Mi-novembre 2008 : le brigadier C. de la PJ d'Ajaccio fait l'objet d'une enquête pour consommation de cannabis.

Chronologie

26 novembre 2008 : la voiture de Robert Saby, directeur adjoint de la PJ d'Ajaccio, est victime d'une explosion.

1er décembre 2008 : Christian Sainte, directeur de la PJ d'Ajaccio, est nommé directeur de la SDAT.

1er décembre 2008 : Robert Saby est nommé directeur du service des courses et jeux.

Début décembre 2008 : mutation de Christian Orsatelli au sein des RG.

28 décembre 2008 : tentative d'assassinat contre Alain Lucchini.

3 janvier 2009 : assassinat de Thierry Castola.

9 janvier 2009 : arrestation d'Antoine Nivaggioni.

13 janvier 2009 : assassinat de Francis Mariani.

3 février 2009 : le juge Duchaine demande à la ministre de l'Intérieur la déclassification de documents relatifs à l'affaire SMS.

10 février 2009 : assassinat de Pierre-Marie Santucci.

Avril 2009 : vague d'interpellations suite à la tentative d'assassinat contre Alain Orsoni.

16 avril 2009 : avis défavorable de la Commission consultative du secret de la défense nationale à la déclassification demandée par le juge Duchaine.

8 juin 2009 : Alain Orsoni est écroué à Toulon.

23 juin 2009 : tentative d'assassinat contre Francis Castola.

26 juin 2009 : assassinat de Noël Andréani.

Table des matières

délit
d'initié
df

Abdelkader Tigha
avec Philippe Lobjois

CONTRE-ESPIONNAGE ALGÉRIEN :
NOTRE GUERRE CONTRE LES ISLAMISTES

La mémoire
traquée

nouveau monde
éditions

CONTRE-ESPIONNAGE ALGÉRIEN :
NOTRE GUERRE CONTRE LES ISLAMISTES

1991. La guerre contre les Groupes islamistes armés débute en Algérie.

Abdelkader Tigha rejoint les services de contre-espionnage algériens. Il a 21 ans et veut servir son pays en contrant la menace des terroristes.

Torture, disparitions, escadrons de la mort, attentats... Pendant huit ans, l'horreur sera son quotidien. Huit ans de lutte dont il ne sortira pas indemne...

Un frère assassiné, un autre blessé grièvement. Entre la peste et le choléra, le jeune sergent Tigha ira jusqu'au bout de ses forces avant que le dégoût ne s'empare de lui et qu'il ne décide de fuir son pays.

Poursuivi par son propre service, il se lance alors dans une course contre la montre... De Tunis à Tripoli, de Damas à Amman, les hommes du contre-espionnage algérien mettront tout en œuvre pour le récupérer.

Leur raison ? Tigha en sait trop. Trop sur les manipulations de son ancien service durant leur guerre contre les islamistes. Trop sur les escadrons de la mort, sur les disparitions d'innocents, sur la mort des moines de Tibbherine...

En Thaïlande, les services secrets français le reçoivent et prennent son témoignage mais l'abandonnent aussitôt sur la pression d'Alger. Victime d'une manipulation, Abdelkader Tigha fera trois ans de prison à Bangkok.

Enfin libre, il écrit aujourd'hui l'histoire authentique d'un homme traqué qui n'a plus rien à perdre sinon la vie. Contre-espionnage algérien offre une plongée à couper le souffle dans les coups tordus de la guerre civile algérienne.

Depuis neuf ans, Abdelkader Tigha a fui l'Algérie, son pays natal, et est aujourd'hui réfugié en Hollande.

Reporter de guerre, Philippe Lobjois est spécialisé dans le journalisme d'investigation. Il est l'auteur de plusieurs ouvrages dont Frères à abattre *(Nouveau monde, 2006).*

délit
d'initié

Franck HUGO   Philippe LOBJOIS

MERCENAIRE
DE LA RÉPUBLIQUE

15 ANS
DE GUERRES SECRÈTES
BIRMANIE, EX-YOUGOSLAVIE, COMORES
ZAÏRE, CONGO, CÔTE D'IVOIRE, IRAK…

nouveau monde
éditions

MERCENAIRE DE LA RÉPUBLIQUE

« Nous sommes la main gauche de l'État. Celle que ne voyez jamais, celle qui agit dans l'ombre. Personne ne nous connaît. »

Barbouze, mercenaire, homme de l'ombre. Pendant 15 ans, Franck Hugo aura endossé tous les rôles. Jeune légionnaire de 20 ans, il s'engage dans les années 90 contre la dictature en Birmanie aux côtés de la guérilla des Karen. En ex-Yougoslavie, il part rejoindre une brigade de volontaires étrangers qui combat les Serbes.

En 1995, il pénètre dans les « structures parallèles » de la République. Lors d'une mission aux Comores aux côtés de Bob Denard, il est fait prisonnier, puis condamné. Combattant du « réseau Françafrique », Franck Hugo voit le Zaïre s'écrouler. Il assiste à la guerre civile du Congo, à l'arrivée au pouvoir de Robert Guei en Côte d'Ivoire, et à l'affrontement entre Laurent Gbagbo et les rebelles nordistes.

À l'aube du nouveau siècle, le monde change, le métier aussi.

Franck va vivre l'émergence des sociétés militaires privées. L'Irak, qu'il rejoint en 2003, devient son nouveau champ d'action. Il y découvre la guerre terroriste, les voitures piégées et les enlèvements d'otages. Il participe activement aux négociations secrètes pour la libération des otages français Christian Chesnot et Georges Malbrunot.

Un récit explosif, une plongée sans précédent dans le petit monde des mercenaires français.

Franck Hugo est toujours en activité sur le terrain. À travers ces confessions, il a décidé de lever le voile sur 15 ans de guerres clandestines.

Reporter de guerre, Philippe Lobjois est spécialisé dans le journalisme d'investigation. Il est l'auteur de plusieurs ouvrages dont Contre-espionnage algérien : Notre guerre contre les islamistes, *publié chez Nouveau Monde éditions.*

délit
d'initié

Éric Ouzounian

VERS UN TCHERNOBYL FRANCAIS ?

Un responsable d'EDF brise la Loi du silence

nouveau monde
éditions

VERS UN TCHERNOBYL FRANÇAIS

Inondations, incendies, séismes, attentats… Aujourd'hui, une catastrophe peut éclater à tout moment dans les centrales nucléaires françaises, en particulier les plus vétustes. À l'approche de la privatisation d'EDF, l'état des lieux du parc nucléaire est alarmant… Restrictions budgétaires, sous-traitance inflationniste, personnel moins formé, sujétion de l'autorité de sûreté vis-à-vis de l'industriel : la vigilance sur le parc nucléaire baisse de jour en jour.

Les centrales, pour la plupart, ont été construites dans les années 1980 et devaient avoir une durée de vie de trente ans. À l'approche de l'échéance, elles se dégradent de plus en plus. Pendant la seule année 1996, 37 incidents ont été recensés par l'Autorité de sûreté nationale.

Pourtant, EDF est bien décidée à faire durer ces installations dix ans de plus…

Ce livre n'est pas un pamphlet antinucléaire. Il est le cri d'alarme d'un haut responsable d'EDF qui juge la situation actuelle trop dangereuse pour continuer à se taire. À l'appui de son avertissement, il raconte les accidents graves dont certains ont minoré la portée, des pratiques dangereuses imposées par l'impératif de rentabilité, et surtout la peur qui gagne peu à peu les personnels des centrales.

Une enquête effrayante sur EDF et les dangers de sa privatisation.

*Éric Ouzounian est journaliste, auteur de films documentaires (*Requiem pour l'industrie du disque, *ARTE, 2004) et collabore au site* www.laspirale.org